BEGINNER'S RUSSIAN READER

Нача́льная кни́га для чте́ния и разгово́ра

Соста́вила

ЛИЛЯ ПАРГМЕНТ

заве́дующая ру́сским отде́лом
Мишига́нского университе́та

КНИГОИЗДА́ТЕЛЬСТВО ПИ́ТМАН
НЬЮ-ЙО́РК ЛО́НДОН

BEGINNER'S RUSSIAN READER

WITH CONVERSATIONAL EXERCISES

SECOND EDITION

by

LILA PARGMENT

Assistant Professor of Russian
University of Michigan

PITMAN PUBLISHING CORPORATION

NEW YORK **LONDON**

2.2

Associated Companies
Sir Isaac Pitman & Sons, Ltd.
London Melbourne Johannesburg Geneva
Sir Isaac Pitman & Sons (Canada), Ltd.
Toronto

Printed in the United States of America

PREFACE

THIS READER HAS BEEN DESIGNED with the following threefold aim in view: to provide material for guided and controlled oral practice as a basis for developing conversational ability, to serve as a step on the road toward the acquisition of an adequate recognition vocabulary and idiom, and to develop in the student a sense of direct reading power. The importance of oral practice as a basis for fluent and accurate silent reading has now been generally recognized.

The text and teaching material of this book fall into four categories:

1. Common expressions.
2. Reading selections.
   Texts of a general character.
   Texts dealing with life in the Soviet Union.
   Biographical sketches of some Russian writers.
   Historic and geographic sketches.
   A play (Chekhov's *The Bear*).
3. Poetry and songs.
4. Exercises based on the reading material.

In so far as possible, care has been taken to choose material that is likely to satisfy the mentality of an adult. The reading selections have been graded according to the difficulties presented by new vocabulary, sentence structure, and use of tense and mood. They have been restricted in length so that each unit may be absorbed without undue demand on the student's time or capacity. Nearly all of the texts have been simplified, modified, and rewritten to keep them within a predetermined linguistic framework. The editor is confident, however, that they have preserved a true Russian ring.

While the use of high-frequency vocabulary to the entire exclusion of less common words was not possible, an earnest effort in this direction has been made. The words included are unquestionably among the most commonly used. They will thus constitute a most useful working vocabulary on the one hand, and a sound basis for further study on the other. Except for a small number of service words with which all students must be at least passively familiar before any connected text can be attacked, the vocabulary at the conclusion of this reader is complete, with inflected forms.

An attempt has been made to devise exercises which will lead to direct assimilation through usage. With this in view the material has been presented in colloquial style which calls for student responses of the same nature. Such simplification is designed to safeguard the student from blunders and contribute to the formation of correct speech habits.

Oral exercises are, by their very nature, flexible and adaptable. While the number of exercises incorporated in this book is ample for a foundation, it should not be difficult for the instructor to introduce more or different ones to fit the needs of his class. Other features of the book which may prove useful as oral exercise material are the list of common expressions, selected poems, and songs with their music.

The editor is of the opinion that room should be given to the kind of work provided by this reader before much formal study of grammar is attempted. If the study of grammar is to be fruitful, it should be preceded by a period of practical usage which will spontaneously and directly familiarize the student with the internal mechanism of the new language. This procedure applies especially to the Russian language, which is so far removed from English in practically every respect.

When used concurrently with the first-year grammar, this reader will enlarge the student's capacity to learn. Instead of trying to master the language with his eye and hand alone, he will also be using his ear and tongue, the two organs most active in the acquisition of language. In addition to reasoning, calculation, and conscious memory, he will have the benefit of his powers of sensation and spontaneous absorption through actual usage. The additional interest which comes with the sense of oral mastery will provide him with those richer linguistic opportunities and experiences without which all language study is unnatural, lifeless and difficult.

The editor hopes that this reader will fill a need long felt by those who realize the importance of the direct oral approach to the study of the Russian language.

LILA PARGMENT.

ACKNOWLEDGMENT

Leeds Music Corporation has cordially agreed to the use in this book of the Russian songs for which it is the publisher and distributor in the United States and the entire Western Hemisphere.

СОДЕРЖА́НИЕ

BEGINNER'S RUSSIAN READER

ОБЫ́ДЕННЫЕ ВЫРАЖЕ́НИЯ

Здра́вствуйте.	How do you do?
До́брое у́тро.	Good morning.
До́брый ве́чер.	Good evening.
Сади́тесь, пожа́луйста.	Be seated, please.
Как (вы) пожива́ете?	How are you?
Хорошо́, спаси́бо, а вы?	I am well, thank you, and you?
Не о́чень хорошо́.	Not very well.
Что с ва́ми?	What is the trouble?
Я бо́лен (больна́).	I am ill.
Я просту́жен(а).	I have a cold.
У меня́ боли́т голова́.	I have a headache.
У меня́ боли́т го́рло.	I have a sore throat.
У меня́ на́сморк.	I have a cold (in the head).
Очень жаль. Кака́я доса́да!	I am so sorry! How unfortunate! What a pity!
Мо́жно войти́?	May I come in?
Войди́те!	Come in!
Очень рад(а) вас ви́деть.	I am very glad to see you.
Знако́мьтесь, Познако́мьтесь, мой друг ...	Meet my friend ...

Позво́льте вам предста́вить господи́на (госпожу́) Н.	Allow me to introduce to you Mr. (Mrs.) N.
Очень прия́тно познако́миться.	I am very glad to meet you.
Како́й вы национа́льности?	What is your nationality?
Вы ру́сский? (ру́сская?)	Are you Russian?
Нет, я америка́нец. (америка́нка).	No, I am American.
Вы говори́те по-ру́сски?	Do you speak Russian?
Немно́го.	A little.
Вы понима́ете, что я говорю́?	Do you understand what I say?
Да, я всё понима́ю.	Yes, I understand everything.
Понима́ю, но не всё.	I do, but not everything.
Говори́те ме́дленно, пожа́луйста.	Speak slowly, please.
Повтори́те, пожа́луйста.	Repeat, please.
Как вас зову́т? Как ва́ше и́мя?	What is your name? (first)
Как ва́ша фами́лия?	What is your name? (surname).
Ско́лько вам лет?	How old are you?
Отку́да вы?	Where do you come from?
Из Нью-Йо́рка.	From New York.
Вы давно́ здесь?	How long have you been here?
Нет, неда́вно.	Not very long.
Когда́ вы прие́хали?	When did you come?

Два (три, четы́ре) дня тому́ наза́д.	Two (three, four) days ago.
Где вы останови́лись?	Where do you stay?
В гости́нице.	In a hotel.
У друзе́й.	With friends.
Вы ку́рите?	Do you smoke?
Нет (да), спаси́бо.	No (yes), thank you.
Хоти́те есть?	Are you hungry?
Нет, спаси́бо, я хочу́ пить.	No, thank you, I am thirsty.
Хоти́те ча́ю? Вы́пьете ча́шку ча́ю?	Will you take a cup of tea?
С удово́льствием.	With pleasure.
Бу́дьте до́бры (любе́зны).	Be so kind.
Пода́йте мне папиро́сы.	Pass me the cigarettes.
Спаси́бо. Благодарю́ вас.	Thank you.
Не сто́ит. Не́ за что.	Don't mention it.
Скажи́те, пожа́луйста.	Would you please tell me.
Кото́рый час?	What time is it?
Два (три, четы́ре) часа́.	Two (three, four) o'clock.
Стано́вится по́здно.	It's getting late.
Мне пора́ домо́й.	I must go home.
До свида́ния. Всего́ хоро́шего.	Good-bye.
До ско́рого свида́ния.	I'll see you soon.
Споко́йной но́чи.	Good night.
Приходи́те (к нам), пожа́луйста.	Come to see us.
Когда́ вы уезжа́ете?	When are you leaving?

За́втра у́тром (по́сле обе́да, ве́чером).	Tomorrow morning (afternoon, evening).
Счастли́вого пути́!	Happy journey!
Кака́я сего́дня пого́да?	How is the weather today?
Сего́дня хоро́шая пого́да.	It's lovely.
Сего́дня плоха́я пого́да.	It's unpleasant.
Тепло́.	It's warm.
Хо́лодно.	It's cold.
Прохла́дно.	It's cool.
Жа́рко.	It's hot.
Идёт дождь.	It's raining.
Идёт снег.	It's snowing.
Ду́ет ве́тер.	It's windy.
Вам хо́лодно?	Are you cold?
Нет, мне тепло́.	No, I am warm.
Како́й сего́дня день?	What day is it today?
Сего́дня понеде́льник (вто́рник, среда́, четве́рг, пя́тница, суббо́та, воскресе́нье).	Today is Monday (Tuesday, Wednesday, Thursday, Friday, Saturday, Sunday).
Како́е сего́дня число́?	What date is it?
Сего́дня пе́рвое (второ́е, тре́тье, четвёртое ...).	Today is the first (second, third, fourth ...).

ТЕ́КСТЫ О́БЩЕГО ХАРА́КТЕРА

Моноло́г

"Па́па, что тако́е моноло́г?

— Моноло́г э́то разгово́р ме́жду ма́мой и мно́ю"

Оши́бка

"Пе́тя,[1] ско́лько раз я говори́ла тебе́ не брать ничего́ па́льцами. Ты уже́ большо́й ма́льчик, сты́дно. На́до есть ви́лкой.

— Но, ма́ма, лю́ди не всегда́ е́ли ви́лками. Па́льцы бы́ли на све́те, когда́ ви́лок ещё[2] не́ было.

— Да, но не твои́".

Кто прав?

Ва́ня[3] люби́л по́здно спать. "Сты́дно, Ва́ня, так по́здно спать"— сказа́л ему́ одна́жды оте́ц, и, что́бы дать сы́ну уро́к, он рассказа́л ему́ про челове́ка, кото́рый шёл ра́но по у́лице и нашёл[2] мно́го де́нег.

"Но, па́па, — сказа́л Ва́ня — тот, кто потеря́л э́ти де́ньги, встал ещё[2] ра́ньше".

На пожа́ре

Оди́н раз загоре́лся дом. Когда́ прие́хали пожа́рные, к ним вы́бежала же́нщина. Она́ пла́кала и говори́ла, что в до́ме оста́лась ма́ленькая де́вочка. Пожа́рные посла́ли соба́ку. Че́рез пять мину́т соба́ка вы́бежала и́з дому. В зуба́х, за руба́шку, она́ несла́ де́вочку. Мать бро́силась к до́чери и пла́кала от

[1] Dim. of Пётр, Peter.
[2] In words with the letter ё the tonic accent is usually on that letter.
[3] Dim. of Ива́н, John.

ра́дости.

Вдруг соба́ка опя́ть бро́силась в дом. Ско́ро она́ вы́бежала отту́да. В зуба́х, за пла́тье, она́ несла́ большу́ю ку́клу.

Аппети́т

"Како́й невку́сный суп!"— сказа́ла Ве́ра за обе́дом, и положи́ла ло́жку на стол. По́сле обе́да Ве́ра пошла́ в по́ле копа́ть карто́фель. Там она́ мно́го рабо́тала, и верну́лась домо́й голо́дная. Ма́ть поста́вила на стол суп, и Ве́ра е́ла его́ с аппети́том. "Како́й вку́сный суп! — сказа́ла она́. "Это тот са́мый суп, — сказа́ла мать — что был за обе́дом. Тепе́рь он вку́сный, потому́ что ты голодна́."

Не в деньга́х сча́стье

В одно́м до́ме жи́ли два челове́ка: бога́тый и бе́дный. Бе́дный мно́го рабо́тал и за рабо́той пел. Когда́ бе́дный пел, бога́тый не мог спать. Он дал бе́дному мно́го де́нег, чтоб он не пел. Бе́дный переста́л петь. И ему́ ста́ло ску́чно.[1] Он пошёл к бога́тому и сказа́л: "Возьми́ де́ньги наза́д, а мне позво́ль петь. Лу́чше жить бе́дно, да ве́село."

Бесцеремо́нный гость

Никола́й Фёдоров живёт в Москве́. К нему́ прие́хал из прови́нции гость. Он прие́хал на не́сколько дней.

Прохо́дит неде́ля, друга́я, но гость ничего́ не говори́т о возвраще́нии домо́й.

1 He became bored

"Ва́ша жена́ и де́ти, вероя́тно, скуча́ют без вас — говори́т ему́ Никола́й.

— Да, вероя́тно — отвеча́ет гость. — Я хочу́ написа́ть им, чтоб они́ прие́хали сюда́."

Уро́к ве́жливости

Никола́й Петро́в гуля́л с сы́ном в па́рке. Они́ встре́тили Степа́нова, и Степа́нов дал ма́льчику кусо́чек шокола́ду.

"Что на́до сказа́ть, Ко́ля[1]? — говори́т оте́ц ма́льчику.

"У меня́ есть[2] ещё два бра́та — отвеча́ет ма́льчик и протя́гивает Степа́нову ру́ку.

Два го́стя

У одного́ америка́нца обе́дали го́сти. Оди́н из них, молодо́й челове́к, уви́дел на столе́ горчи́цу. Он никогда́ не ел горчи́цы. Он взял по́лную ло́жку горчи́цы и положи́л в рот. Из его́ глаз потекли́ слёзы.

Ря́дом с ним сиде́л стари́к. Он уви́дел слёзы на глаза́х молодо́го челове́ка и спроси́л, о чём он пла́чет. "Я вспо́мнил моего́ бе́дного отца́, кото́рый неда́вно у́мер"— отве́тил молодо́й челове́к.

Вско́ре по́сле э́того стари́к уви́дел горчи́цу. Он то́же никогда́ не ел горчи́цы и то́же попро́бовал её. Молодо́й челове́к уви́дел на его́ глаза́х слёзы. "О чём вы пла́чете? — спроси́л он в свою́ о́чередь. "О том, что ты не у́мер вме́сте с твои́м отцо́м"— отве́тил стари́к.

[1] Dim. of Никола́й, Nicholas.
[2] I have.

Хоро́ший муж

Ивано́в вхо́дит с жено́й в ма́ленький рестора́н и говори́т: "Да́йте нам, пожа́луйста, хоро́ший обе́д. Мы мно́го гуля́ли, и мы о́чень голо́дны.

— Хоро́ший обе́д? Не могу́ — отвеча́ет хозя́ин рестора́на. — Тепе́рь по́здно, и у нас есть[1] всего́ одна́ котле́та.

— Одна́ котле́та! Кака́я доса́да! Что́ же бу́дет есть моя́ жена́?"

Два дру́га

"Степа́н, ты меня́ зна́ешь уже́ де́сять лет, пра́вда?

— Да, мой друг, пра́вда.

— Ты меня́ хорошо́ зна́ешь, пра́вда?

— Да, о́чень хорошо́.

— Одолжи́ мне, пожа́луйста, сто рубле́й.

— Не могу́, мой друг, не могу́!

— Но почему́?

— Потому́ что я тебя́ хорошо́ зна́ю."

Обману́л

"Серге́й Петро́вич, вас про́сят[2] к телефо́ну — говори́т учени́к учи́телю. Учи́тель идёт к телефо́ну.

"Серге́й Петро́вич?

— Да.

— Я хочу́ сказа́ть вам, что Ко́ля Степа́нов не мо́жет притти́ сего́дня в класс: он бо́лен, и до́ктор сказа́л ему́ лежа́ть в посте́ли.

— Хорошо́. Но кто у телефо́на?

— Это мой па́па, Серге́й Петро́вич."

[1] We have.
[2] You are wanted.

Скворе́ц

У одного́ бе́дного старика́ сапо́жника был скворе́ц. Стари́к о́чень люби́л свою́ пти́чку; он научи́л её сказа́ть не́сколько слов по-ру́сски. Ка́ждый раз, когда́ сапо́жник входи́л в дом, он спра́шивал: "Скво́рушка,[1] где́ ты?" И пти́чка всегда́ отвеча́ла: "Я здесь, де́душка!"

У старика́ был ма́ленький сосе́д, восьмиле́тний[2] ма́льчик Ко́ля. Ко́ле о́чень нра́вился скворе́ц, и он ча́сто приходи́л к сапо́жнику послу́шать, как он говори́т. Он о́чень хоте́л име́ть таку́ю пти́чку.

Одна́жды Ко́ля пришёл, когда́ старика́ не́ было до́ма. Он бы́стро схвати́л пти́чку, спря́тал её в карма́н, и хоте́л убежа́ть. Но в э́то вре́мя вошёл хозя́ин скворца́. "Скво́рушка, где́ ты?" — гро́мко кри́кнул он. "Я здесь, де́душка!" — отве́тил скворе́ц из карма́на ма́льчика.

Со́кол и пету́х

Со́кол люби́л своего́ хозя́ина, и прилета́л к нему́, когда́ он его́ звал. Пету́х убега́л ка́ждый раз, когда́ хозя́ин хоте́л подойти́ к нему́. Одна́жды со́кол говори́т петуху́: "Каки́е вы, петухи́, неблагода́рные: вы то́лько тогда́ идёте к хозя́ину, когда́ вы голо́дны. Мы, со́колы, не убега́ем от люде́й; мы всегда́ идём к ним, когда́ они́ нас зову́т, потому́ что мы по́мним, что они́ нас ко́рмят."

[1] Dim. of скворе́ц.
[2] Eight years old.

"Вы не убега́ете от люде́й, — отве́тил пету́х — оттого́ что вы никогда́ не вида́ли жа́реного со́кола, а мы о́чень ча́сто ви́дим жа́реных петухо́в".

До́брое се́рдце

Оди́н слепо́й ни́щий уме́л сказа́ть "спаси́бо" по-англи́йски, по-ру́сски, по-францу́зски и по-неме́цки. Что́бы привле́чь внима́ние люде́й, он пове́сил на груди́ вы́веску: "Этот слепо́й — полигло́т."

Прохо́дят две же́нщины. Одна́ из них чита́ет вы́веску и говори́т друго́й: "Несча́стный! Вы ви́дели? Он не то́лько слепо́й, но ещё полигло́т!"

Уро́к му́зыки

Ру́сский компози́тор Чайко́вский уви́дел одна́жды на у́лице шарма́нщика, кото́рый о́чень пло́хо игра́л а́рию из о́перы "Евге́ний Оне́гин".[1]

"Ва́ша му́зыка ужа́сна — говори́т ему́ Чайко́вский.

— Вы ничего́ не понима́ете — отвеча́ет шарма́нщик. Это о́чень хоро́шая му́зыка; э́то а́рия из о́перы "Евге́ний Оне́гин".

— Да, пра́вда, что э́то хоро́шая му́зыка — засмея́лся компози́тор. — Я её хорошо́ зна́ю, так как я сам её написа́л".

Шарма́нщик покрасне́л. "Так вы нахо́дите, что я пло́хо игра́ю?

— Да, мой друг, вы игра́ете непра́вильно. Во́т как э́то на́до игра́ть." С э́тими слова́ми, Чайко́вский по-

[1] An opera by Tchaikovsky based on the novel in verse, by the same name, by Pushkin. (See page 50.)

дошёл к шарма́нке и сыгра́л а́рию по сво́ему.[1]

Че́рез не́сколько дней Чайко́вский опя́ть встре́тил шарма́нщика. На его́ шарма́нке висе́ла вы́веска: "Учени́к вели́кого компози́тора Чайко́вского."

Следы́

Оте́ц сказа́л сы́ну, чтоб он вбил в сте́ну гвоздь ка́ждый раз, когда́ он соверши́т плохо́й посту́пок, и чтоб вы́рвал из стены́ гвоздь при ка́ждом хоро́шем посту́пке. Сын послу́шался. Ско́ро вся стена́ была́ покры́та гвоздя́ми. Сы́ну ста́ло сты́дно,[2] и он реши́л испра́виться. Прошло́ не́которое вре́мя, и гво́зди исче́зли оди́н за други́м.

Одна́жды оте́ц подошёл к стене́ и не уви́дел там ни одного́ гвоздя́. Он о́чень обра́довался и сказа́л: "Все гво́зди исче́зли; я о́чень рад, мой сын." Но сын гру́стно посмотре́л на стену́, пото́м на отца́, и сказа́л: "Гво́зди исче́зли, э́то пра́вда, но их следы́ оста́лись".

Де́душка

Де́душка стал о́чень стар. Он пло́хо ви́дел и слы́шал. Ру́ки его́ дрожа́ли, и за столо́м он пролива́л суп. Сын де́душки и его́ молода́я жена́ переста́ли сажа́ть старика́ за стол; ста́ли сажа́ть его́ в у́гол, и подава́ть ему́ суп в ста́рой деревя́нной таре́лке. Старику́ ста́ло о́чень бо́льно, но он ничего́ не сказа́л, а то́лько вздохну́л.

У старика́ был[3] ма́ленький внук. Одна́жды ма́льчик сиде́л на полу́ и де́лал что́-то из де́рева.

[1] In his own way.

[2] . . . became ashamed.

[3] The old man had.

"Что ты де́лаешь, Ми́ша[1]? — спроси́ла мать.

— Деревя́нную таре́лку — отве́тил ребёнок. — Когда́ ты и па́па бу́дете ста́ры, я бу́ду вас корми́ть из э́той таре́лки."

Оте́ц и мать посмотре́ли друг на дру́га. Им ста́ло сты́дно.[2] И они́ ста́ли опя́ть сажа́ть старика́ за стол.

У́мный судья́

Бога́тый купе́ц потеря́л кошелёк с деньга́ми. Он объяви́л в газе́тах, что в кошельке́ бы́ло две ты́сячи рубле́й, и обеща́л за кошелёк полови́ну э́тих де́нег. Оди́н рабо́чий нашёл кошелёк. Он принёс его́ купцу́ и попроси́л ты́сячу рубле́й, кото́рые купе́ц обеща́л. Но купе́ц не хоте́л дать ему́ ты́сячу рубле́й. "Вы мне не всё принесли́ — сказа́л он. — В кошельке́, кро́ме де́нег, был драгоце́нный ка́мень."

Рабо́чий пошёл к судье́. Судья́ призва́л купца́ и сказа́л ему́: "Вы говори́те, что в кошельке́ бы́ло две ты́сячи рубле́й и драгоце́нный ка́мень. В э́том кошельке́ нет ка́мня, зна́чит, кошелёк не ваш. Пусть он остаётся у рабо́чего пока́ его́ хозя́ин найдётся."

По́мощь

Ма́льчик вхо́дит в ла́вку и спра́шивает ла́вочника: "Ско́лько сто́ит фунт ко́фе?

— Пятьдеся́т копе́ек — отвеча́ет ла́вочник.

— А килогра́мм са́хару?

— Два́дцать копе́ек.

— А фунт ча́ю?

— Оди́н рубль, пятьдеся́т копе́ек.

[1] Dim. of Михаи́л, Michael.

[2] They were ashamed.

—А ско́лько бу́дет сто́ить три фу́нта ко́фе, два килогра́мма са́хару и фунт ча́ю?

—Три рубля́, со́рок копе́ек.

—А ско́лько вы дади́те мне сда́чи с пяти́ рубле́й?

—Оди́н рубль, шестьдеся́т копе́ек.

—Напиши́те э́то, пожа́луйста, на листе́ бума́ги.

—С удово́льствием."

Ла́вочник пи́шет, даёт ма́льчику лист и спра́шивает: "Так ты хо́чешь три фу́нта ко́фе, два килогра́мма са́хару и фунт ча́ю?

—Нет, я ничего́ не хочу́—отвеча́ет ма́льчик.—Это учи́тель зада́л нам зада́чу. Спаси́бо, что помогли́ мне реши́ть её."

И ма́льчик бы́стро вы́бежал из ла́вки.

Ещё раз[1]

Ма́ленький Ва́ня[2] е́дет в по́езде со свои́ми роди́телями. Он всё вре́мя стои́т у откры́того окна́.

"Не стой у откры́того окна́,—говори́т ему́ оте́ц—ве́тер унесёт твою́ шля́пу."

Но Ва́ня не слу́шается. Он с больши́м интере́сом смо́трит, как поля́, дере́вья и цветы́ бегу́т ми́мо. По́езд идёт бы́стро, и си́льный ве́тер ду́ет в лицо́. Ва́не э́то о́чень нра́вится.[3]

Оте́ц бы́стро снима́ет шля́пу с головы́ Ва́ни, пря́чет её за спи́ну, и говори́т: "Ви́дишь, ты не слу́шался меня́, и ве́тер унёс твою́ шля́пу."

Ва́ня пла́чет. Тогда́ оте́ц говори́т ему́ с улы́бкой: "Не плачь, я зна́ю, как верну́ть твою́ шля́пу. Я сви́стну, и она́ вернётся. Утри́ глаза́!"

[1] Once more.
[2] Dim. of Ива́н, John.
[3] . . . likes it.

И пока́ Ва́ня утира́ет глаза́, оте́ц бы́стро надева́ет ему́ на го́лову[1] шля́пу. Ва́не э́то о́чень нра́вится. Он смеётся. Вдруг он бы́стро снима́ет с головы́ шля́пу и броса́ет её за окно́.

"Ещё раз, па́почка, сви́стни!"

Гу́си

Крестья́нин гнал гусе́й в го́род, чтоб прода́ть их там. Гу́си шли ме́дленно. Крестья́нин стал гнать их па́лкой, чтоб они́ шли скоре́е.

По доро́ге они́ встре́тили прохо́жего, и гу́си ста́ли ему́ жа́ловаться: "Посмотри́те, пожа́луйста, как он го́нит нас! Нас нельзя́ так гнать, потому́ что мы не просты́е гу́си: на́ши пре́дки о́чень знамени́ты."

"Я э́то зна́ю,—сказа́л прохо́жий—ва́ши пре́дки...."

"Да, — прерва́ли его́ гу́си — на́ши пре́дки спасли́ когда́-то Рим. Они́ знамени́ты в исто́рии."

"Это ва́ши пре́дки. Они́ сде́лали хоро́шее де́ло, и исто́рия по́мнит их. Но вы ничего́ хоро́шего не сде́лали, а потому́ вы не лу́чше други́х гусе́й. Пусть ка́ждый горди́тся свои́ми хоро́шими посту́пками, а не чужи́ми."

По[2] Крыло́ву.[3]

Стрекоза́ и мураве́й

Бы́ло жа́ркое ле́то. Весёлая стрекоза́ была́ сча́стлива: везде́ бы́ло мно́го зелёной травы́, ли́стьев, цвето́в. Стрекоза́ не ду́мала о том, что не всегда́ бу́дет ле́то: что за ним придёт о́сень, а пото́м зима́. Исчéзнут цветы́ и зелёная трава́, и на земле́ бу́дет лежа́ть глубо́кий снег.

[1] ... puts on his head.
[2] Adapted from.
[3] See page 53.

Кра́сная пло́щадь (Совфо́то)

Пришла́ о́сень. Пошёл дождь и поду́л холо́дный ве́тер. Стрекоза́ вспо́мнила, что она́ ничего́ не загото́вила на́ зиму. Что она́ бу́дет есть зимо́й? Она́ пошла́ к муравью́ и попроси́ла его́ одолжи́ть ей немно́го зерна́, чтоб как-нибу́дь прожи́ть до весны́. Мураве́й, кото́рый рабо́тал всё ле́то, спроси́л: "А почему́ у тебя́ ничего́ нет,[1] стрекоза́? Что ты де́лала всё ле́то?"

"Ле́том бы́ло так ве́село, так хорошо́ — отве́тила стрекоза́ — везде́ бы́ло так мно́го зелёной травы́ и цвето́в, что я забы́ла про зиму́. Я всё ле́то пе́ла."

"Ты пе́ла? Это о́чень хорошо́. А тепе́рь иди́ потанцу́й"— сказа́л мураве́й, поверну́лся и ушёл.

По Крыло́ву.[2]

Ва́нька[3]

Ва́ньке Жу́кову де́сять лет.[4] У него́ нет ни отца́, ни ма́тери.[5] Де́душка Ва́ньки привёл его́ из дере́вни в Москву́ три ме́сяца тому́ наза́д и оста́вил его́ служи́ть у чужи́х люде́й.

Пра́здник. Все ушли́ в це́рковь. Ва́нька оста́лся оди́н. Он взял черни́ла, перо́ и лист бума́ги и на́чал писа́ть письмо́.

"Ми́лый де́душка! — писа́л он. — Жела́ю тебе́ весёлых пра́здников. Нет у меня́ ни отца́, ни ма́тери, ты оди́н у меня́ оста́лся.[6]

Вчера́ меня́ хозя́ин поби́л за то, что я засну́л, когда́

[1] How is it that you don't have anything?
[2] See page 53.
[3] Dim. of Ива́н, John.
[4] . . . is ten years old.
[5] He has neither father nor mother.
[6] I have no one but you.

кача́л ребёнка. Хозя́йка меня́ ча́сто бьёт, и все смею́тся надо мно́й. А есть мне даю́т о́чень ма́ло: у́тром даю́т хле́ба, на обе́д ка́ши, и ве́чером то́же хле́ба. Сплю я в коридо́ре, а когда́ ребёнок пла́чет, то не могу́ спать: я кача́ю его́.

Ми́лый де́душка! Возьми́ меня́ домо́й, в дере́вню. Я не могу́ здесь жить. Я здесь умру́."

Ва́нька запла́кал и продолжа́л писа́ть.

"Я бу́ду всё для тебя́ де́лать. Я не могу́ здесь жить. Хоте́л убежа́ть в дере́вню, но у меня́ нет сапо́г. А без сапо́г о́чень хо́лодно. А когда́ я бу́ду большо́й, я за э́то бу́ду тебя́ корми́ть. А когда́ ты умрёшь, бу́ду за тебя́ моли́ться Бо́гу, как молю́сь за ма́му.

"Москва́ большо́й го́род. Дома́ больши́е, высо́кие, и лошаде́й мно́го, и соба́ки не злы́е."

Ва́нька вздохну́л и заду́мался.

Когда́ мать Ва́ньки была́ жи́ва, она́ служи́ла у бога́тых люде́й. Ба́рышня Ольга Миха́йловна научи́ла Ва́ньку чита́ть и писа́ть.

Когда́ мать Ва́ньки умерла́, де́душка привёл ма́льчика в Москву́.

"Приезжа́й, ми́лый де́душка, — продолжа́л Ва́нька. — Возьми́ меня́ отсю́да. Пожале́й меня́. Меня́ здесь бьют, и я всё вре́мя хочу́ есть.[1] Вчера́ меня́ хозя́ин так уда́рил, что я упа́л. . . .

Твой внук Ива́н Жу́ков."

Ва́нька ко́нчил письмо́, и написа́л а́дрес: "В дере́вню, де́душке." Пото́м поду́мал немно́го и приба́вил:

[1] I am hungry.

"Константи́ну Мака́ровичу." Пото́м он наде́л ша́пку и вы́бежал на у́лицу. Он добежа́л до почто́вого я́щика и опусти́л в него́ письмо́.

Час спустя́, он кре́пко спал, и во сне́ ви́дел де́душку и дере́вню.

По Че́хову.[1]

Пти́чка

Одна́жды Турге́нев[2] с отцо́м пошли́ на охо́ту. Они́ шли по́ лесу. Вдруг Трезо́р, соба́ка Турге́невых, останови́лся: из-под его́ ног вы́летела пти́чка и полете́ла. То́лько полете́ла она́ о́чень стра́нно: поднима́лась, па́дала на зе́млю, пото́м опя́ть поднима́лась и па́дала, как бу́дто она́ была́ ра́неная. Трезо́р схвати́л пти́чку, принёс и пода́л хозя́ину.

"Что э́то? — спроси́л сын — она́ ра́нена?

— Нет,— отве́тил оте́ц — она́ не ра́нена. У неё здесь бли́зко гнездо́ с ма́ленькими, и она́ притвори́лась ра́неной, чтоб обману́ть соба́ку.

— Для чего́ же она́ э́то сде́лала?

— Для того́, что́бы отвести́ соба́ку от свои́х ма́леньких. Пото́м бы она́ хорошо́ полете́ла. То́лько на э́тот раз она́ не могла́ улете́ть от соба́ки.

— Так она́ не ра́нена? — спроси́л сын.

— Нет, — отве́тил оте́ц — но она́ не бу́дет до́лго жить. . . . Трезо́р, должно́ быть, сли́шком си́льно сжал её зуба́ми."

Турге́нев подошёл бли́же к пти́чке.

Она́ лежа́ла на ладо́ни отца́ и смотре́ла на него́

[1] See page 59.
[2] Russian novelist (1818-1883). See also page 57.

свои́ми ка́рими глаза́ми. И ему́ вдруг ста́ло так жаль[1] её! Ему́ показа́лось, что она́ смо́трит на него́ и ду́мает: "За что я должна́ умере́ть? За то, что я свой долг исполня́ла: стара́лась спасти́ свои́х ма́леньких; отвести́ от них соба́ку? Бедня́жка я, бедня́жка! Несправедли́во э́то, несправедли́во!"

По Турге́неву.

Пари́

I

Была́ тёмная осе́нняя ночь. Ста́рый банки́р ходи́л из угла́ в угол по ко́мнате и вспомина́л, как пятна́дцать лет тому́ наза́д он дава́л ве́чер. На э́том ве́чере бы́ло мно́го культу́рных люде́й: бы́ли профессора́, писа́тели, арти́сты.

Заговори́ли о сме́ртной ка́зни. Мно́гие из госте́й говори́ли, что сме́ртную казнь на́до замени́ть заключе́нием.

"Я с ва́ми несогла́сен — сказа́л хозя́ин до́ма, — я ду́маю, что сме́ртная казнь лу́чше заключе́ния: казнь убива́ет сра́зу, а заключе́ние ме́дленно."

"А я ду́маю, — сказа́л оди́н из госте́й, молодо́й юри́ст двадцати́ пяти́ лет — что заключе́ние лу́чше ка́зни: жить хоть как-нибу́дь лу́чше, чем умере́ть."

"Держу́ пари́,[2] — кри́кнул банки́р — что вы не вы́несли бы и пяти́ лет заключе́ния!

"Держу́ пари́, что вынес бы не пять, а пятна́дцать лет."

"Пятна́дцать? Хорошо́. Я ста́влю два миллио́на!"

[1] He became so sorry for.
[2] I wager.

"Хорошо́. Вы ста́вите два миллио́на, а я свою́ свобо́ду."

В саду́ банки́ра был ма́ленький до́мик, и в э́тот до́мик за́перли юри́ста. Пятна́дцать лет он до́лжен быть там оди́н; никого́ не ви́деть, и не получа́ть пи́сем и газе́т. Он мо́жет име́ть музыка́льные инструме́нты, чита́ть кни́ги, писа́ть пи́сьма, пить вино́ и кури́ть.

В пе́рвый год заключённый о́чень страда́л от одино́чества. Он мно́го игра́л на роя́ле. От вина́ и табаку́ он отказа́лся. Он чита́л мно́го расска́зов, рома́нов и коме́дий.

Во второ́й год он переста́л игра́ть, и чита́л то́лько кла́ссиков. В пя́тый год он опя́ть на́чал игра́ть, и попроси́л вина́. Книг он не чита́л. Он мно́го писа́л. Иногда́ он пла́кал.

В шесто́й год он на́чал изуча́ть языки́, филосо́фию и исто́рию. Пото́м, по́сле деся́того го́да он на́чал чита́ть би́блию и исто́рию рели́гий.

В после́дние два го́да он чита́л о́чень мно́го: кни́ги по психоло́гии, Ба́йрона, Шекспи́ра и други́е.

II

Ста́рый банки́р вспомина́л всё э́то и ду́мал: "За́втра в двена́дцать часо́в он получа́ет свобо́ду. Я до́лжен бу́ду дать ему́ два миллио́на; е́сли я э́то сде́лаю, я ста́ну бе́дным челове́ком."

Пятна́дцать лет тому́ наза́д банки́р был о́чень бога́т. Но с тех по́р он мно́го игра́л на би́рже и потеря́л свои́ бога́тства.

"Заче́м э́тот челове́к не у́мер?" ду́мал банки́р. "Ему́ со́рок лет. Он возьмёт мои́ де́ньги, ста́нет бога́т, а меня́ сде́лает бе́дным. Еди́нственное спасе́ние — смерть э́того челове́ка."

Бы́ло три часа́. В до́ме все спа́ли. Стари́к взял ключ от две́ри, кото́рая не открыва́лась пятна́дцать лет, и вы́шел и́з дому.

В саду́ бы́ло темно́ и хо́лодно. Шёл дождь.

"Е́сли я убью́ э́того челове́ка," поду́мал банки́р, "никто́ не узна́ет, что э́то сде́лал я."

Он ти́хо вошёл в пере́днюю. Там бы́ло о́чень темно́. Он зажёг спи́чку. Когда́ спи́чка пога́сла, стари́к загляну́л че́рез ма́ленькое окно́ в ко́мнату заключённого. Там горе́ла свеча́. Заключённый сиде́л у стола́, спино́й к окну́. На столе́, на сту́льях и на ковре́ во́зле стола́ лежа́ли кни́ги.

Банки́р постуча́л па́льцем в окно́, но заключённый не отве́тил. Тогда́ он ти́хо вошёл в ко́мнату.

III

За столо́м сиде́л челове́к. Он спал. На столе́, пе́ред ним, лежа́л лист бума́ги, на кото́ром заключённый что-то написа́л. Банки́р взял со стола́ лист и прочёл сле́дующее:

"За́втра в двена́дцать часо́в я получа́ю свобо́ду. Но пре́жде чем оста́вить э́ту ко́мнату и уви́деть со́лнце, я хочу́ сказа́ть не́сколько слов.

"Пятна́дцать лет я был здесь оди́н. Я мно́го чита́л. Я внима́тельно изуча́л жизнь. Пра́вда, я не ви́дел земли́ и люде́й, но в ва́ших кни́гах я пил вино́, пел пе́сни, люби́л же́нщин. . . . В ва́ших кни́гах я поднима́лся на верши́ны Эльбру́са[1] и Монбла́на[2] и ви́дел

[1] The highest mountain summit of the Caucasian range.
[2] The highest mountain in Europe outside the Caucasian range.

отту́да, как по утра́м восходи́ло со́лнце и как по вечера́м оно́ сади́лось за верши́нами гор. Я ви́дел отту́да мо́лнии и ту́чи; я ви́дел зелёные леса́, поля́, ре́ки, города́. . . . И я мно́го поня́л. Я поня́л, что вы идёте не по той доро́ге.[1] Ложь вы принима́ете за пра́вду. Вы променя́ли не́бо на зе́млю. . . .

"И я отка́зываюсь от двух миллио́нов, о кото́рых я когда́-то мечта́л. А потому́ я вы́йду отсю́да за пять часо́в до сро́ка, и таки́м о́бразом потеря́ю э́ти два миллио́на."

Банки́р ко́нчил чита́ть, положи́л лист на стол, поцелова́л челове́ка в го́лову, запла́кал и вы́шел из до́мика. Он пришёл домо́й, лёг, но волне́ние меша́ло ему́ усну́ть.

Наза́втра сто́рож прибежа́л и сказа́л, что заключённый оста́вил но́чью тюрьму́ и ушёл.

По Че́хову.[2]

До́рого сто́ит

I

На берегу́ Средизе́много мо́ря есть ма́ленькая страна́. Называ́ется она́ Мона́ко.[3] В э́той стране́ всего́ пятна́дцать ты́сяч жи́телей, но всё-таки́[4] в ней есть настоя́щий князь. У э́того кня́зя есть мини́стры, генера́лы и во́йско. Немно́го во́йска, но всё-таки во́йско.

Мона́ко изве́стно свое́й руле́ткой. Из всех стран приезжа́ют в Мона́ко лю́ди игра́ть в руле́тку. Иногда́ какой-нибу́дь прие́зжий проигрывает всё, что у

[1] You are not following the right path.
[2] See page 59.
[3] A sovereign principality on the Mediterranean coast.
[4] Nevertheless.

него́ бы́ло, и пото́м стреля́ется, но жи́тели Мона́ко живу́т ти́хо, споко́йно.

Но одна́жды в э́той ти́хой, споко́йной стране́ оди́н челове́к уби́л друго́го. Уби́йцу арестова́ли, суди́ли и присуди́ли отруби́ть ему́ го́лову. Присуди́ть бы́ло легко́, но как э́то сде́лать? В Мона́ко нет ни гильоти́ны, ни палача́. Мини́стры ду́мали, ду́мали и реши́ли написа́ть францу́зскому прави́тельству и спроси́ть, не мо́гут-ли францу́зы присла́ть им на вре́мя гильоти́ну и палача́, и ско́лько э́то бу́дет сто́ить. Написа́ли. Че́рез неде́лю получи́лся отве́т: Фра́нция мо́жет присла́ть гильоти́ну и палача́. Это бу́дет сто́ить пятна́дцать ты́сяч фра́нков.

Князь и мини́стры поду́мали и реши́ли, что пятна́дцать ты́сяч фра́нков сли́шком до́рого; что престу́пник не сто́ит э́того.

Реши́ли написа́ть в Ита́лию, и спроси́ть, за каку́ю су́мму италья́нское прави́тельство согласи́тся присла́ть свою́ гильоти́ну и палача́. Написа́ли. Че́рез неде́лю получи́ли отве́т. Италья́нское прави́тельство пи́шет, что с удово́льствием пришлёт гильоти́ну и палача́, и что э́то бу́дет сто́ить двена́дцать ты́сяч фра́нков. Это то́же до́рого. Что де́лать?

Опя́ть собра́лся сове́т. Ду́мали, ду́мали о то́м, как уби́ть престу́пника так, что́бы до́рого не сто́ило. Мо́жет быть, кто-нибу́дь из солда́т согласи́тся отруби́ть ему́ го́лову? Но солда́ты все отказа́лись: не уме́ют, говоря́т, они́ так убива́ть.

Опя́ть собра́лись и реши́ли замени́ть сме́ртную казнь заключе́нием. Так бу́дет лу́чше: князь пока́жет, что он до́брый, и бу́дет сто́ить не о́чень до́рого.

Посади́ли престу́пника в тюрьму́ и сто́рожа к нему́ приста́вили.

II

Прошёл год. Князь посчита́л, ско́лько заключённый сто́ил ему́ за э́тот год и испуга́лся: он сто́ил шестьсо́т фра́нков! Заключённый ещё молодо́й челове́к, здоро́вый. Он ещё до́лго бу́дет жить: он бу́дет сто́ить прави́тельству о́чень до́рого.

Князь опя́ть созва́л сове́т; что де́лать, чтоб престу́пник не сто́ил так до́рого? Реши́ли усла́ть сто́рожа. А е́сли заключённый уйдёт, тем лу́чше. Они́ бу́дут ра́ды. Сто́рожа усла́ли.

Пришло́ вре́мя обе́да. Заключённый ждёт сто́рожа с обе́дом, но сто́рож не прихо́дит. Тогда́ он вы́шел из тюрьмы́ и пошёл за свои́м обе́дом. Получи́л обе́д, верну́лся в тюрьму́, за́пер дверь и сел обе́дать. И стал он ка́ждый день ходи́ть за обе́дом.

Ви́дит князь, что заключённый не ухо́дит. Созва́л опя́ть мини́стров, и ста́ли они́ ду́мать, как заста́вить его́ уйти́. Реши́ли сказа́ть ему́, что он им не ну́жен.[1] Призыва́ет его́ мини́стр юсти́ции и говори́т: "Отчего́ вы не ухо́дите? Сто́рожа нет; мо́жете уйти́. Князь не рассе́рдится."

"Князь не рассе́рдится, — отве́тил заключённый — но куда́ я пойду́? Вы испо́ртили мою́ репута́цию тем, что посади́ли меня́ в тюрьму́. Мне тепе́рь никто́ рабо́ты не даст. Вы нехорошо́ поступи́ли со мно́й. Присуди́ли меня́ к сме́ртной ка́зни; на́до бы́ло меня́ казни́ть. Но вы не казни́ли. Я не стал спо́рить. Пото́м присуди́ли меня́ к заключе́нию, и сто́рожа мне да́ли, чтоб он приноси́л мне обе́д, а пото́м усла́ли сто́рожа. Я опя́ть не стал спо́рить, и сам ходи́л за обе́дом. Тепе́рь вы хоти́те, чтоб я ушёл. Нет, не уйду́."

[1] They don't need him.

Созва́ли опя́ть сове́т. Что де́лать? Не ухо́дит. Поду́мали, поду́мали и реши́ли назна́чить ему́ пе́нсию. Объяви́ли заключённому реше́ние сове́та. "Хорошо́, — говори́т — е́сли вы мне бу́дете аккура́тно плати́ть мою́ пе́нсию, я уйду́."

Получи́л он часть де́нег вперёд, и ушёл. Живёт он тепе́рь бли́зко от владе́ний кня́зя. Купи́л земли́, развёл огоро́д, сад, и живёт ти́хо, споко́йно.

Хорошо́, что он соверши́л своё преступле́ние в бе́дной стране́, где не́ было де́нег на гильоти́ну и палача́, ни на то́, чтоб держа́ть челове́ка о́чень до́лго в тюрьме́.

Толсто́й,[1] *по Мопаса́ну.*

О́рден

I

Учи́тель вое́нной шко́лы, Лев Пустяко́в, пришёл к своему́ дру́гу, лейтена́нту Леденцо́ву. "Гри́ша[2] — попроси́л он — дай мне, пожа́луйста, на сего́дня твоего́ Станисла́ва.[3] Я сего́дня обе́даю у купца́ Спи́чкина. Ты его́ зна́ешь; ты зна́ешь, как он лю́бит ордена́. К тому́ же у него́ две до́чери: На́стя и Зи́на.[4]... Ты понима́ешь. Дай, сде́лай ми́лость!"

Лейтена́нт дал ему́ свой о́рден. В два часа́ Пустяко́в е́хал к Спи́чкиным. На его́ груди́ сверка́л Станисла́в.

Снима́я в пере́дней Спи́чкина пальто́, Пустяко́в за-

[1] See page 54.
[2] Dim. of Григо́рий.
[3] Станисла́в and, later, Анна, Влади́мир — honorary decorations granted by the Czarist government to public officials for distinguished service.
[4] Dim. of Наста́сия and Зинаи́да.

Ленингра́д (Совфо́то)

глянул в столо́вую. Там за столо́м сиде́ли уже́ челове́к пятна́дцать[1] и обе́дали.

Пустяко́в высоко́ подня́л го́лову и вошёл в столо́вую. Но тут он уви́дел не́что ужа́сное: за столо́м сиде́л его́ това́рищ по слу́жбе, учи́тель францу́зского языка́, Трамбля́н. Что де́лать? Он не мог показа́ть францу́зу о́рден: был бы сканда́л. Уйти́? Но уйти́ бы́ло сли́шком по́здно. Он бы́стро прикры́л пра́вой руко́й о́рден и, никому не подава́я руки́, сел на стул, как ра́з про́тив колле́ги францу́за.

Пе́ред Пустяко́вым поста́вили таре́лку су́пу. Он взял ло́жку ле́вой руко́й, но, вспо́мнив, что ле́вой руко́й не едя́т, сказа́л, что он уже́ пообе́дал и есть не хо́чет.

II

По́сле тре́тьего блю́да он посмотре́л на францу́за. Трамбля́н смотре́л на него́ и то́же ничего́ не ел.

"Заме́тил, — поду́мал Пустяко́в — за́втра ска́жет дире́ктору!"

Хозя́ева и го́сти съе́ли четвёртое блю́до, съе́ли и пя́тое. . . .

Подня́лся како́й-то высо́кий господи́н и сказа́л: "Вы́пьем за на́ших дам!"

Все подня́лись. Пустяко́в подня́лся и взял стака́н в ле́вую ру́ку.

"Лев Никола́евич, переда́йте, пожа́луйста, э́тот стака́н Наста́сье Тимофе́евне! — обрати́лся к нему́ како́й-то мужчи́на, подава́я стака́н.

На э́тот раз Пустяко́в до́лжен был протяну́ть пра́вую ру́ку. Станисла́в засверка́л на его́ груди́. Учи-

[1] Челове́к пятна́дцать, about fifteen people; пятна́дцать челове́к, fifteen people.

тель побледне́л, опусти́л го́лову и посмотре́л в сто́рону францу́за. Тот смотре́л на него́ удивлёнными глаза́ми. Гу́бы его́ улыба́лись. . . .

"Юлий Августович! — обрати́лся к францу́зу хозя́ин до́ма. — Переда́йте, пожа́луйста, буты́лку сосе́ду!"

Трамбля́н протяну́л ру́ку к буты́лке, и . . . о, сча́стье! Пустяко́в увида́л на его́ груди́ о́рден. И то был не Станисла́в, а Анна! Зна́чит, и францу́з сде́лал то́ же, что он! Пустяко́в засмея́лся от удово́льствия. Тепе́рь уже́ не на́до бы́ло пря́тать Станисла́ва!

"Да-с! — сказа́л Пустяко́в. — Удиви́тельное де́ло, Юлий Августович! Ско́лько у нас учителе́й, а получи́ли ордена́ то́лько вы да я! Уди—ви́—тель—ное де́ло!"

Трамбля́н ве́село закива́л голово́й.

По́сле обе́да Пустяко́в ве́село ходи́л по всем ко́мнатам и пока́зывал ба́рышням о́рден. "Если бы я знал, — ду́мал он — я бы о́рден Влади́мира доста́л. Эх, не догада́лся!"

По Че́хову.

Те́ксты из жи́зни Сою́за Сове́тских Социалисти́ческих Респу́блик[1] (СССР)

Москва́

Москва́ — столи́ца СССР. Это о́чень ста́рый и интере́сный го́род. Москва́ — центр ру́сской культу́ры. Это са́мый большо́й го́род СССР, с населе́нием почти́ в пять миллио́нов жи́телей.

В це́нтре Москвы́, у Москва́-реки́, на холме́, стои́т Кремль. Кремль окружён со всех сторо́н стено́ю. Тут же, у вхо́да в Кремль, нахо́дится **Кра́сная** пло́щадь. На пло́щади стои́т грани́тный мавзоле́й Ле́нина.

В Москве́ мно́го теа́тров, музе́ев, библиоте́к и вы́сших уче́бных заведе́ний. Моско́вский университе́т — са́мый ста́рый университе́т в стране́. Из всех библиоте́к СССР са́мая больша́я и знамени́тая э́то библиоте́ка Ле́нина.

Из моско́вских теа́тров хорошо́ изве́стны не то́лько в СССР, но и за грани́цей, Моско́вский Худо́жественный теа́тр, и о́перный, Большо́й теа́тр.

В Москве́ о́чень мно́го садо́в и па́рков. Са́мый интере́сный и са́мый большо́й из них э́то парк Культу́ры и Отдыха. В э́том па́рке есть теа́тры, кинемато́графы (кино́) и оди́н о́чень большо́й откры́тый теа́тр, кото́рый называ́ется Зелёный теа́тр.

[1]Union of Soviet Socialist Republics (U.S.S.R.).

В це́нтре па́рка нахо́дится высо́кая ба́шня, с кото́рой люби́тели пры́гают с парашю́тами.

В одно́м конце́ па́рка нахо́дится "де́тский городо́к". Туда́ ма́тери приво́дят дете́й и оставля́ют их там, пока́ они́ рабо́тают. Де́ти там игра́ют, чита́ют, рису́ют.

Моско́вский метрополите́н (метро́) — са́мый краси́вый и удо́бный в ми́ре.

Кани́кулы в Москве́

"Ва́ня, — сказа́л Петро́в сы́ну — за́втра начина́ются кани́кулы. Ты мно́го рабо́тал и хорошо́ учи́лся, и за э́то я дам тебе́ де́нег на пое́здку в Москву́."

Молодо́й челове́к вскочи́л из-за стола́, за кото́рым он рабо́тал, и подбежа́л к отцу́. "Спаси́бо, па́па, — ра́достно заговори́л он — мне давно́ хо́чется пое́хать в Москву́. Я так мно́го чита́л и слыха́л о теа́трах, музе́ях, конце́ртах на́шей столи́цы: я так рад бу́ду пое́хать туда́!"

"Хорошо́, — сказа́л оте́ц — за́втра ты пое́дешь, а когда́ вернёшься, ты нам расска́жешь, где ты был и что ты ви́дел."

Наза́втра студе́нт сиде́л в ваго́не по́езда "Кра́сная стрела́", кото́рый бы́стро увози́л его́ в Москву́.

Прошло́ де́сять дней, и Ва́ня счастли́вый, весёлый, верну́лся домо́й. За у́жином он почти́ ничего́ не ел, и всё вре́мя расска́зывал о том, что он ви́дел в Москве́. Оте́ц и мать внима́тельно слу́шали его́, а Ко́стя[1], учени́к сре́дней шко́лы, всё вре́мя прерыва́л расска́з бра́та вопро́сами:

"А в Моско́вском Худо́жественном теа́тре ты был?

[1] Dim. of Константи́н.

— О, да, туда́ я пошёл в пе́рвый ве́чер, как то́лько прие́хал в Москву́.

— Что там игра́ли? — спроси́ла мать.

— *Анна Каре́нина*. Кака́я пье́са, и кака́я удиви́тельная игра́!

— Я не зна́ла, что из э́того рома́на Толсто́го сде́лали пье́су.

— О да, уже́ давно́.

— Наза́втра я там смотре́л *Три сестры́* Че́хова. По́сле теа́тра я пое́хал в парк метрополите́ном. Кака́я красота́! Всё сде́лано из мра́мора, фарфо́ра, ста́ли. Всё краси́во, чи́сто, блести́т. Я спусти́лся глубоко́ под зе́млю, по широ́кому эскала́тору. Во́здух внизу́ чи́стый, хоро́ший. Тру́дно бы́ло пове́рить, что я так глубоко́ под землёй. Дое́хал я до па́рка Культу́ры и Отдыха. Там я вы́шел и пошёл в парк.

— А с парашю́том с ба́шни ты не спуска́лся? — спроси́л Ко́стя.

— Спуска́лся.

— А не стра́шно бы́ло?

— Снача́ла, немно́го — отве́тил ста́рший брат и опусти́л глаза́. Все засмея́лись.

— В па́рке я провёл весь день — продолжа́л расска́зчик. — Был в кино́, в Де́тском городке́, а ве́чером — в Зелёном теа́тре.

— А э́то что тако́е?

— Это огро́мный теа́тр на откры́том во́здухе. Там я слы́шал о́перу *Ти́хий Дон*. По́мнишь, Ко́стя, мы вме́сте чита́ли *Ти́хий Дон* Шо́лохова. Компози́тор Джерзи́нский написа́л о́перу по э́тому рома́ну.

— Ну, дово́льно на сего́дня — сказа́ла мать. — Ты уста́л, иди́ спать. За́втра расска́жешь остально́е."

— Нет, ма́ма, — засмея́лся Ва́ня — за оди́н день не расска́жешь всего́. Но ты права́, я о́чень уста́л. Споко́йной но́чи!"

Моско́вское метро́

Если вы когда́-нибу́дь бу́дете в Москве́ и, гуля́я по го́роду, уви́дите большу́ю бу́кву "М", подойди́те бли́зко. Эта бу́ква ука́зывает вход на ста́нцию моско́вской подзе́мной желе́зной доро́ги, — метро́.

Моско́вское метро́, пе́рвая подзе́мная желе́зная доро́га страны́, начало́сь стро́иться в 1931-м (ты́сяча девятьсо́т три́дцать пе́рвом) году́. Постро́йка подзе́мной доро́ги всегда́ представля́ет о́чень тру́дную зада́чу, но в Москве́ э́та зада́ча была́ осо́бенно тру́дна: у́лицы ста́рого го́рода бы́ли у́зкие и кривы́е; под землёй бы́ло мно́го о́чень ста́рых постро́ек. Но гла́вная тру́дность была́ в том, что по́чва, на кото́рой стои́т Москва́, мя́гкая, а у ру́сских тогда́ не́ было ну́жного о́пыта: они́ не зна́ли, как замора́живать по́чву; как, при по́мощи хими́ческих проце́ссов, де́лать её твёрдой. Всё э́то они́ узна́ли по́зже, а пока́ у них не́ было о́пыта; не́ было ещё хоро́ших, о́пытных инжене́ров и рабо́чих; не́ было ну́жных маши́н. Тру́дно, а, мо́жет быть, и невозмо́жно, бы́ло бы реши́ть э́ту зада́чу, е́слиб весь наро́д не при́нял живо́го уча́стия в э́той постро́йке. Со всех концо́в страны́ ста́ли приезжа́ть в Москву́ лю́ди, что́бы свое́й рабо́той помо́чь стро́ить метро́. Моско́вское метро́ стро́илось так, как когда-то стро́ились хра́мы в больши́х города́х Евро́пы. Мно́гие отдава́ли своё свобо́д-

Вход в метрó (Совфóто)

ное вре́мя, ча́сто рабо́тая беспла́тно. Число́ люде́й, рабо́тавших на постро́йке метро́, ча́сто доходи́ло до 65.000 (шести́десяти́ пяти́ ты́сяч) челове́к, — мужчи́н и же́нщин. Други́е, живу́щие далеко́ и потому́ не принима́вшие уча́стия в рабо́те, помога́ли, как могли́: из Сиби́ри присыла́ли ре́льсы; из Каре́лии и Кры́ма, с Кавка́за и Ура́ла — мра́мор; с далёкого се́вера — де́рево; с Во́лги и се́верного Кавка́за — цеме́нт. Стро́или метро́ не то́лько так, чтоб в нём мо́жно бы́ло прое́хать, а так, чтоб мо́жно бы́ло прое́хать с удово́льствием, и отдохну́ть в нём по́сле дня рабо́ты.

И вот тепе́рь, гля́дя на результа́ты свое́й до́лгой и тру́дной рабо́ты, ру́сские гордя́тся моско́вским метро́, лю́бят и берегу́т его́. Ста́нции метро́ всё вре́мя мо́ются и чи́стятся. Нигде́ не уви́дишь бро́шенной на пол спи́чки и́ли бума́жки. Пу́блика вхо́дит в метро́, как вхо́дят в хоро́ший оте́ль. Спустя́сь по краси́вому, широ́кому эскала́тору вниз и ожида́я там по́езда, гуля́ют по ка́менному по́лу, укра́шенному ра́зными рису́нками моза́ики. Гуля́ть здесь удо́бно и прия́тно. Тунне́ль метро́ так широ́к, что да́же в часы́ си́льного движе́ния там не те́сно. Во́здух всегда́ све́жий, чи́стый; температу́ра ро́вная, прия́тная. Краси́вые мра́морные коло́нны поднима́ются до высо́кого потолка́. Сте́ны то́же отде́ланы мра́мором. Краси́вые ла́мпы льют прия́тный мя́гкий свет. Поезда́, с обтека́емыми ваго́нами, краси́вы, чи́сты, удо́бны.

Ста́нции метро́ не похо́жи одна́ на другу́ю ни свое́й архитекту́рой, ни цве́том мра́мора, ни да́же ла́мпами. Так наприме́р, на у́лице Го́рького, гла́вной у́лице Москвы́, есть шесть ста́нций. На отде́лку э́тих ста́нций бы́ло употреблено́ трина́дцать родо́в мра́мора, привезённого с ра́зных концо́в Сою́за: с Ура́ла, Да́льнего Восто́ка, из Арме́нии, Гру́зии, Узбекиста́на и Сиби́ри.

Лю́бят ру́сские моско́вское метро́ и горди́тся им. Лю́бят его́ до того́, что ча́сто е́здят в нём не по де́лу, а для прогу́лки.

Расска́з красноарме́йца

Идёт бой, а патро́нов нехвата́ет. Кто их нам доста́вит под огнём неприя́теля? Но что э́то несётся по́ полю? Соба́ки! Это на́ши соба́ки! Они́ бегу́т к нам!

Вот подбега́ют они́ совсе́м бли́зко. У одно́й пу́ля оторва́ла у́хо; друга́я ра́нена в но́гу. Тре́тья здоро́ва, но о́чень уста́ла, тяжело́ ды́шит.

По бока́м у соба́к вися́т су́мки, а в су́мках патро́ны. Мы отвяза́ли су́мки, перевяза́ли ра́неных соба́к, и они́ побежа́ли обра́тно.

А вот ещё что случи́лось со мной на войне́. Ночь. Я лежу́ в по́ле с ра́ной в ноге́. Хочу́ пить. . . . Вдали́ я ви́жу огоньки́. Это на́ши, ру́сские, то́лько далеко́ они́ от меня́, не уви́дят меня́.

Вдруг ви́жу: что́-то несётся по́ полю. Всё бли́же и бли́же. . . . Соба́ка! На́ша соба́ка! Подбега́ет она́ ко мне́. На боку́ у неё виси́т су́мка, а в су́мке — фля́жка. Я взял фля́жку, вы́пил. Сра́зу стал бодре́е.

Доста́л я из су́мки бинт, перевяза́л, как уме́л, свою́ ра́ну. Встал, и ме́дленно пошёл к огонька́м. А соба́ка убежа́ла иска́ть други́х ра́неных.

Фортуна́това, "Кни́га для чте́ния."

Среди́ льдов

На далёком се́вере лежи́т мо́ре, покры́тое ве́чным льдом. Реши́ли лю́ди лете́ть на се́вер в дирижа́бле, чтоб изучи́ть э́ту страну́. Дирижа́бль засти́гла бу́ря. Посла́ли с дирижа́бля изве́стие по ра́дио: "Спаса́йте! Нас засти́гла бу́ря!"

Сове́тский парохо́д "Кра́син" отпра́вился спаса́ть люде́й.

Идёт парохо́д на далёкий се́вер. Круго́м лёд да лёд. И чем да́льше, тем то́лще[1] лёд; тем трудне́е парохо́ду итти́ вперёд.

С парохо́да спусти́ли аэропла́н, и он полете́л иска́ть люде́й. До́лго лете́л аэропла́н, и, наконе́ц, с аэропла́на уви́дели, что на снегу́ лежа́т лю́ди. Они́ бы́ли жи́вы, дви́гались. Им сбро́сили с аэропла́на пи́щу, и да́ли знать[2] по ра́дио на парохо́д, чтоб скоре́е шли их спаса́ть. Опя́ть стал "Кра́син" боро́ться со льдом. Наконе́ц, он нашёл люде́й и спас их.

Почти́ пятьдеся́т дней про́были э́ти лю́ди среди́ льдов.

Фортуна́това, "Кни́га для чте́ния."

Как я пры́гала с самолёта

Был я́сный, моро́зный день, когда́ я пе́рвый раз пры́гала с парашю́том.

Парашю́т наде́ли мне на спи́ну. Когда́ я была́ совсе́м гото́ва, ко мне подошёл нача́льник парашю́тной шко́лы. Он улыбну́лся, посмотре́л внима́тельно и говори́т: "Тепе́рь парашю́т стесня́ет вас, но в во́здухе

[1] The farther, the thicker . . .
[2] Sent word.

вы э́того не бу́дете чу́вствовать. На зе́млю не смотри́те; жди́те сигна́ла. Когда́ лётчик даст сигна́л, пры́гайте. Пото́м счита́йте: *раз, два, три.* . . . Тогда́ то́лько мо́жете откры́ть парашю́т, но не ра́ньше. Если откро́ете сли́шком ра́но, мо́жет бы́ть несча́стье."

Иду́ к самолёту. Лётчик уже́ на своём ме́сте. Он что́-то кричи́т, но из-за шу́ма мото́ра я не слы́шу. Я сажу́сь в самолёт. Маши́на бежи́т. Пото́м вздра́гивает и бы́стро поднима́ется вверх.

Подня́лись на 600[1] ме́тров. Лётчик оберну́лся. Улыба́ется. Я ста́ла на край самолёта. На зе́млю нельзя́ смотре́ть. Не смотрю́. Смотрю́ вперёд, жду сигна́ла. Лётчик махну́л руко́й. Я пры́гнула. . . . Поплыло́ всё пе́ред мои́ми глаза́ми. То́лько чу́вствую, как холо́дный ве́тер ду́ет в лицо́. И ка́жется, что я плыву́ вниз по тече́нию бы́строй реки́. А воды́ нет. Вокру́г всё бе́ло и си́не. Снача́ла я лете́ла ме́дленно. Пото́м все быстре́й и быстре́й.

Ду́маю: "Ско́ро земля́"!

Вот бли́же, бли́же бе́лое по́ле. Пригото́вилась. Тепе́рь, когда́ я э́то расска́зываю, смешно́. А тогда́ да́же глаза́ закры́ла.

Упа́ла. Ко мне подбежа́ли. . . .

Подошли́ инструктора́, нача́льник шко́лы. Поздравля́ют. Благодарю́. Мне прия́тно и ра́достно.

Воспомина́ния ру́сской лётчицы.

Ра́дио

Кро́ме телегра́фа и телефо́на тепе́рь устра́ивают ра́диотелегра́ф и ра́диотелефо́н. Ра́диотелегра́ф сто́-

[1] Шестьсо́т.

ит гора́здо деше́вле обыкнове́нного телегра́фа: для него́ не ну́жно проводи́ть про́волоки.

Когда́ огро́мный атланти́ческий парохо́д "Тита́ник" наскочи́л на ледяну́ю гору́ и стал итти́ ко дну́, ра́диотелеграфи́ст всё вре́мя посыла́л по ра́дио-телегра́фу три бу́квы: SOS. Это зна́чит: "Спаси́те на́ши ду́ши." Ра́дио с "Тита́ника" бы́ло при́нято други́ми парохо́дами; не́которые из них поспеши́ли ему́ на по́мощь и спасли́ мно́го пассажи́ров.

Тепе́рь, благодаря́ ра́дио, мо́жно передава́ть по во́здуху без про́волок настоя́щий разгово́р, т.е.[1] устро́или беспро́волочный телефо́н; так что конце́рт или о́перу, кото́рые иду́т в Москве́, мо́жно слы́шать за ты́сячи киломе́тров от Москвы́.

Их мо́жно не то́лько слы́шать, но и ви́деть. Для э́того слу́жит телеви́дение. Де́ти и взро́слые лю́бят сиде́ть в свобо́дное вре́мя у телеви́зора и смотре́ть интере́сные пье́сы, краси́вый бале́т. Благодаря́ телеви́дению, мо́жно ви́деть и слы́шать, что происхо́дит на све́те.

Челю́скинцы

Двена́дцатого ию́ня 1933-го (ты́сяча девятьсо́т три́дцать тре́тьего) го́да в Ленингра́де ме́дленно отходи́л от га́вани парохо́д "Челю́скин". Он шёл в далёкое, тру́дное пла́вание по Ледови́тому океа́ну. Ну́жно бы́ло изучи́ть но́вый путь и нала́дить по нему́ сообще́ние. А э́то не просто́е де́ло. В Ледови́том океа́не тяжёлые, ве́чные льды. Льды наступа́ют на парохо́д со всех сторо́н. Нере́дко на него́ надвига́ются

[1] То-есть That is to say.

огро́мные ледяны́е го́ры и грозя́т раздави́ть его́. Среди́ таки́х льдов шёл "Челю́скин". Нача́льником э́того ва́жного похо́да был Отто Юльевич Шмидт, а капита́ном — Влади́мир Ива́нович Воро́нин.

Идёт "Челю́скин" всё да́льше и да́льше, а итти́ всё трудне́е и трудне́е.

И вот наступи́л стра́шный день. Льды проломи́ли ле́вый бок парохо́да. "Челю́скин" стал наполня́ться водо́й и итти́ ко дну. Тогда́ капита́н приказа́л: "Все на лёд!"

С парохо́да сошло́ на лёд сто четы́ре челове́ка. Среди́ них бы́ли же́нщины и две ма́ленькие де́вочки.

Лю́ди оста́лись на льду. Хо́лод, мете́ли. Но челю́скинцы не отча́иваются. Они́ начина́ют устра́ивать ла́герь. Передаю́т по ра́дио изве́стие о ги́бели "Челю́скина."

На льду начала́сь дру́жная рабо́та. Из до́сок челю́скинцы постро́или бара́к для же́нщин, дете́й и сла́бых. Постро́или ку́хню.

Жить на льди́не бы́ло тру́дно. Бы́ло темно́, бы́ло хо́лодно. Лю́ди рискова́ли ка́ждый день жи́знью. Но они́ зна́ли, что в их стране́ о них ду́мают; зна́ли, что им помо́гут. Они́ бо́дро жда́ли э́той по́мощи и рабо́тали. А в свобо́дное вре́мя, по вечера́м,[1] учи́лись и чита́ли.

Со всех сторо́н спеши́ли на по́мощь лётчики. Лётчикам меша́ли[2] мете́ли, меша́ли тума́ны, меша́ли моро́зы. Сквозь мете́ли, тума́ны лете́ли они́ на по́мощь челю́скинцам.

[1] Evenings.
[2] . . . were hindered by . . .

Sovfoto

Моско́вский Госуда́рственный Университе́т и́мени М. В. Ломоно́сова

Пятого ма́рта с аэродро́ма сообщи́ли, что над ла́герем показа́лся самолёт. Это прилете́л пе́рвый спаси́тель — Ляпиде́вский. Самолёт Ляпиде́вского увёз пе́рвыми же́нщин и дете́й.

До деся́того апре́ля не могли́ попа́сть опя́ть в ла́герь челю́скинцев: меша́ли мете́ли, тума́ны и моро́зы.

Деся́того апре́ля у́тром над ла́герем опя́ть появи́лись самолёты. В четы́ре дня пять самолётов увезли́ всех челю́скинцев. С челю́скинцами бы́ли во́семь соба́к. Лётчик взял и их.

Вели́кой ра́достью встре́тил весь мир спасе́ние челю́скинцев.

И. Пале́й и Г. Энтина,
Пе́рвая кни́га для чте́ния.

Кро́вные ро́дственники

Одна́жды в Москве́ был ми́тинг до́норов. На э́том ми́тинге бы́ло бо́льше трёх ты́сяч челове́к. Молода́я блонди́нка с больши́ми голубы́ми глаза́ми сиде́ла ря́дом с широкопле́чим лётчиком. От вре́мени до вре́мени они́ смотре́ли друг на дру́га, красне́ли и опуска́ли глаза́. Друзья́ их улыба́лись, и кто́-то заме́тил, что они́ не должны́ красне́ть, так как они́ давно́ уже́ ста́ли кро́вными ро́дственниками.

Де́вушка э́та была́ Алекса́ндра То́карева, студе́нтка Моско́вского институ́та иностра́нных языко́в, а лётчик — Никола́й Каза́нский, жизнь кото́рого Алекса́ндра спасла́ свое́й кро́вью.

Год тому́ наза́д самолёт, в кото́ром лете́л Каза́нский, загоре́лся. Ско́ро начала́ горе́ть его́ оде́жда. Лётчик вы́прыгнул из самолёта и, весь в огне́, упа́л на зе́млю. Его́ отпра́вили в го́спиталь. Жизнь его́ была́ в опа́сности. Тогда́ ему́ сде́лали перелива́ние кро́ви, и больно́й на́чал ме́дленно выздора́вливать.

Одна́жды сестра́ милосе́рдия показа́ла Каза́нскому запи́ску, кото́рая была́ привя́зана к ба́ночке; в э́той ба́ночке была́ кровь Алекса́ндры. Молодо́й лётчик прочита́л сле́дующее: "Дорого́й бое́ц! Кто бы ты ни́ был,[1] по́мни, что я ду́маю о тебе́ и наде́юсь, что моя́ кровь помо́жет тебе́ вы́здороветь." Сле́довали и́мя, фами́лия и а́дрес Алекса́ндры. Каза́нский попроси́л сестру́ написа́ть Алекса́ндре. Ме́жду молоды́ми людьми́ завяза́лась перепи́ска. Когда́ лётчик получи́л о́тпуск, он прие́хал в Москву́, что́бы ли́чно поблагодари́ть де́вушку, кровь кото́рой спасла́ ему́ жизнь.

И вот тепе́рь на ми́тинге они́ сиде́ли ря́дом. От вре́мени до вре́мени они́ смотре́ли друг на дру́га, красне́ли и опуска́ли глаза́. Оба бы́ли сча́стливы.

Из сове́тской сво́дки за
30е ноября́ 1943-го го́да.

[1] Whoever you are.

КРА́ТКАЯ БИОГРА́ФИЯ НЕ́КОТОРЫХ ПИСА́ТЕЛЕЙ

Пу́шкин (1799—1837)

Уже́ бо́льше ста лет прошло́ со дня́ сме́рти Пу́шкина, но он всё ещё остаётся са́мым вели́ким ру́сским поэ́том.

С Пу́шкиным ру́сская литерату́ра соверше́нно измени́лась. Он дал ей но́вый язы́к, но́вый тон, но́вое содержа́ние. До Пу́шкина ру́сские поэ́ты и писа́тели писа́ли не просты́м, есте́ственным языко́м. В их языке́ бы́ло мно́го иску́сственного. Пу́шкин очи́стил ру́сский язы́к от всего́ иску́сственного; сде́лал его́ просты́м, поня́тным для всех. Вме́сте с тем, язы́к Пу́шкина о́чень бога́т и разнообра́зен. Бога́ты и разнообра́зны та́кже мы́сли и осо́бенно чу́вства, кото́рыми полны́ все произведе́ния поэ́та. Ни оди́н ру́сский поэ́т не вы́разил так мно́го не́жных, глубо́ких челове́ческих чувств и в таки́х разнообра́зных выраже́ниях, как э́то сде́лал Пу́шкин. Не́которые кри́тики нахо́дят, что по красоте́ свои́х стихо́в Пу́шкин оди́н из са́мых вели́ких поэ́тов ми́ра.

Пу́шкин вели́к ещё и тем, что дал в свои́х произведе́ниях портре́ты люде́й, взя́тых пря́мо из жи́зни. Нарисо́ванные им ти́пы по́зже ста́ли гла́вной те́мой ру́сской литерату́ры. О них мно́го писа́ли Ле́рмонтов, Турге́нев, Че́хов и други́е вели́кие поэ́ты и писа́тели. По свои́м портре́там ру́сских люде́й и прекра́сным карти́нам ру́сской жи́зни того́ вре́мени Пу́шкин явля́ется пе́рвым реали́стом в ру́сской поэ́зии.

Алекса́ндр Серге́евич Пу́шкин роди́лся в Москве́. Когда́ он был ребёнком, у него́ была́ ня́ня, кото́рая зна́ла мно́го краси́вых ру́сских ска́зок. Пу́шкин люби́л слу́шать э́ти ска́зки, кото́рые она́ о́чень хорошо́ расска́зывала. Благодаря́ ня́не, Пу́шкин полюби́л наро́дную ру́сскую поэ́зию, ру́сский фолькло́р, и по́зже, когда́ стал вели́ким поэ́том, ча́сто брал отту́да сюже́ты для свои́х стихо́в.

Са́мые изве́стные произведе́ния Пу́шкина э́то: "Евге́ний Оне́гин," "Бори́с Годуно́в" и "Цыга́ны." Поми́мо э́тих и други́х дли́нных произведе́ний, Пу́шкин написа́л о́чень мно́го небольши́х лири́ческих стихотворе́ний. Пу́шкин написа́л та́кже не́сколько произведе́ний в про́зе. Са́мые изве́стные из них э́то "Пи́ковая да́ма" и "Капита́нская до́чка."

Ле́рмонтов (1814—1841)

Михаи́л Ю́рьевич Ле́рмонтов роди́лся в 1814-м (ты́сяча восемьсо́т четы́рнадцатом) году́, в Москве́. Когда́ ему́ бы́ло три го́да, умерла́ его́ мать, и ба́бушка ма́льчика взяла́ ребёнка и воспита́ла его́.

Ле́рмонтов получи́л вое́нное образова́ние. Он был офице́р.

Ле́рмонтов на́чал писа́ть стихотворе́ния, когда́ ему́ бы́ло четы́рнадцать лет. Как Пу́шкин, он ра́ньше писа́л по-францу́зски, пото́м по-ру́сски.

Когда́ Ле́рмонтову бы́ло де́сять лет, он пое́хал с ба́бушкой на Кавка́з. Красота́ приро́ды Кавка́за произвела́ на ма́льчика о́чень си́льное впечатле́ние. По́зже, уже́ взро́слым, он ещё не́сколько раз был на

Гру́зия (Совфо́то)

Кавка́зе, и любо́вь его́ к Кавка́зу всё вре́мя росла́. Во мно́гих свои́х произведе́ниях он даёт нам замеча́тельное описа́ние кавка́зской приро́ды: гор, лесо́в, степе́й. Ле́рмонтова ча́сто называ́ют "певе́ц Кавка́за."

Там же, на Кавка́зе, Ле́рмонтов был уби́т на ду́эли в 1841-м (ты́сяча восемьсо́т со́рок пе́рвом) году́.

Несмотря́ на то, что Ле́рмонтов у́мер о́чень молоды́м, он оста́вил нам о́чень бога́тое литерату́рное насле́дство: мно́го коро́тких лири́ческих стихотворе́ний и не́сколько дли́нных произведе́ний в стиха́х. Его́ стихи, по свое́й си́ле и красоте́, ча́сто не уступа́ют[1] стиха́м Пу́шкина.

Са́мые изве́стные из его́ дли́нных произведе́ний э́то "Де́мон", "Мцы́ри"[2] и "Пе́сня про купца́ Кала́шникова."

Поми́мо стихо́в, Ле́рмонтов написа́л замеча́тельное произведе́ние в про́зе: бессме́ртный рома́н "Геро́й на́шего вре́мени." В э́том рома́не он даёт нам прекра́сный тип ру́сского молодо́го челове́ка того́ вре́мени.

Крыло́в (1769—1844)

Знамени́тый ру́сский баснопи́сец Крыло́в роди́лся в 1769-м (ты́сяча семьсо́т шестьдеся́т девя́том) году́.

Пу́шкин сказа́л про Крыло́ва, что он са́мый наро́дный из ру́сских поэ́тов. Он э́то сказа́л потому́, что язы́к Крыло́ва — наро́дный ру́сский язы́к, а та́кже потому́, что Крыло́в в свои́х ба́снях о́чень пра́вильно рису́ет мно́гих ру́сских люде́й и не́которые сто́роны ру́сской жи́зни того́ вре́мени.

[1] Are not inferior.
[2] A Georgian word signifying "a novice."

Крыло́в взял мно́го сюже́тов для свои́х ба́сен у францу́зского баснопи́сца Ляфонте́на. Но э́ти сюже́ты он переда́л на тако́м хоро́шем ру́сском языке́, и живо́тные его́ ба́сен изобража́ют таки́х характе́рных ру́сских люде́й, что э́ти ба́сни не просто́е подража́ние Ляфонте́ну. У Ляфонте́на Крыло́в взял то́лько иде́ю. Всё остально́е, как лю́ди, так и жизнь, кото́рые он рису́ет, чи́сто ру́сские.

Крыло́в написа́л та́кже мно́го свои́х, оригина́льных ба́сен.

Крыло́в у́мер в 1844-м (ты́сяча восемьсо́т со́рок четвёртом) году́.

Толсто́й (1828—1910)

Лев Никола́евич Толсто́й роди́лся в 1828-м (ты́сяча восемьсо́т два́дцать восьмо́м) году́ в селе́ Ясная Поля́на.

Когда́ Толсто́й был молоды́м челове́ком, он ниче́м не отлича́лся от други́х молоды́х аристокра́тов его́ вре́мени: жил ве́село, без забо́т.

В 1851-м (ты́сяча восемьсо́т пятьдеся́т пе́рвом) году́ Толсто́й пое́хал на Кавка́з. Там он сде́лался офице́ром, и оста́лся служи́ть.

Приро́да и лю́ди Кавка́за си́льно повлия́ли на Толсто́го. Там он в пе́рвый раз в жи́зни на́чал серьёзно ду́мать о лю́дях, о жи́зни, о рели́гии. Там же он написа́л свои́ пе́рвые произведе́ния, кото́рые сра́зу сде́лали его́ знамени́тым. В них ви́ден тала́нт вели́кого худо́жника. Его́ са́мое лу́чшее произведе́ние того́ вре́мени э́то рома́н "Каза́ки."

В конце́ 1853-го (ты́сяча восемьсо́т пятьдеся́т тре́тьего) го́да начала́сь Кры́мская война́, и Толсто́й

Крым (Совфо́то)

уе́хал в Крым. Он там принима́л уча́стие в защи́те Севасто́поля, кото́рый враги́ осажда́ли оди́ннадцать ме́сяцев. Во вре́мя оса́ды Толсто́й писа́л свои́ вое́нные расска́зы: "Севасто́поль в декабре́," "Севасто́поль в ма́е" и "Севасто́поль в а́вгусте."

По́сле войны́ Толсто́й оста́вил а́рмию, и верну́лся в Ясную Поля́ну. Там он продолжа́л иска́ть отве́ты на социа́льные, экономи́ческие, полити́ческие и религио́зные вопро́сы, кото́рые му́чили его́.

Са́мые значи́тельные произведе́ния Толсто́го э́то его́ два рома́на: "Война́ и мир" и "Анна Каре́нина." В них, осо́бенно в пе́рвом, Толсто́й даёт нам широ́кую панора́му ру́сской жи́зни девятна́дцатого ве́ка.

После́дние го́ды свое́й жи́зни Толсто́й был за́нят гла́вным о́бразом религио́зными вопро́сами. К произведе́ниям э́того пери́ода отно́сятся: "В чём моя́ ве́ра," "Христиа́нское уче́ние," "Жизнь и уче́ние Иису́са," и други́е.

Толсто́й у́мер в 1910-м (ты́сяча девятьсо́т деся́том) году́.

Турге́нев (1818—1883)

Ива́н Серге́евич Турге́нев роди́лся в 1818-м (ты́сяча восемьсо́т восемна́дцатом) году́. Оте́ц Турге́нева был арме́йский офице́р, а мать — бога́тая поме́щица. Мать писа́теля отлича́лась жесто́костью хара́ктера, от кото́рого страда́ли все в до́ме, как слу́ги, так и чле́ны семьи́. Очень ча́сто в де́тстве Турге́нев быва́л свиде́телем жесто́ких сцен наказа́ния слуг. Эти сце́ны оста́лись на всю жизнь в па́мяти писа́теля. Ра́но в жи́зни Турге́нев поня́л, что крепостни́чество бы́ло гла́вной причи́ной зла, кото́рое он ви́дел в име́-

нии своéй мáтери и котóрое причини́ло емý так мнóго морáльных страдáний. И он реши́л борóться прóтив негó всéми си́лами.

Егó пéрвое крýпное произведéние, напи́санное перóм вели́кого худóжника, нанеслó большóй удáр крепостни́честву. Это произведéние—"Запи́ски охóтника." Это сбóрник рассклáзов, в котóрых áвтор нарисовáл замечáтельную карти́ну тяжёлой жи́зни крестья́н.

Но глáвная заслýга Тургéнева, как писáтеля, состои́т в егó шести́ бессмéртных ромáнах.[1] В э́тих ромáнах áвтор даёт нам прекрáсную карти́ну рýсской жи́зни второ́й полови́ны девятнáдцатого вéка. Он тáкже рисýет замечáтельные ти́пы рýсского мужчи́ны и рýсской жéнщины тогó врéмени.

Поми́мо ромáнов и "Запи́ски охóтника," Тургéнев написáл мнóго други́х расскáзов и нéсколько пьес.

Тургéнев ýмер в 1883-м (ты́сяча восемьсóт вóсемьдесят трéтьем) годý.

Достоéвский (1821—1881)

Фёдор Михáйлович Достоéвский роди́лся в 1821-м (ты́сяча восемьсóт двáдцать пéрвом) годý в Москвé.

Достоéвский учи́лся рáньше в срéдней шкóле в Москвé, потóм в инженéрном учи́лище в Петербýрге. Окóнчив учи́лище, он стал чинóвником, но через гóд брóсил слýжбу и нáчал писáть. Жил он бéдно, в мáленькой кóмнатке, и здесь он рабóтал над своúм

[1] "Рýдин", "Дворя́нское гнездó", "Наканýне", "Отцы́ и дéти", "Дым" и "Новь". ("Rudin", "A Nobleman's Retreat", "On the Eve", "Fathers and Sons", "Smoke", and "Virgin Soil".)

пе́рвым рома́ном "Бе́дные лю́ди". В 1846-м (ты́сяча восемьсо́т со́рок шесто́м) году́ э́тот рома́н был напеча́тан и име́л большо́й успе́х. Достое́вский стано́вится[1] изве́стным.

Достое́вский на́чал интересова́ться социа́льными вопро́сами, и ско́ро стал чле́ном та́йного кружка́.[2] За э́то его́ арестова́ли и сосла́ли в Сиби́рь.

Через де́сять лет, в 1860-м (ты́сяча восемьсо́т шестидеся́том) году́ Достое́вский возвраща́ется в Петербу́рг,[3] и ско́ро начина́ют выходи́ть его́ са́мые знамени́тые рома́ны: "Преступле́ние и наказа́ние", "Бра́тья Карама́зовы", "Идио́т" и други́е.

Достое́вский знамени́т не то́лько как писа́тель, но и как вели́кий психо́лог. Он оста́вил психоло́гии о́чень бога́тое насле́дство.

Че́хов (1860—1904)

Анто́н Па́влович Че́хов роди́лся в 1860-м (ты́сяча восемьсо́т шестидеся́том) году́, в семье́ бы́вшего крепостно́го. Че́хов учи́лся ра́ньше в гимна́зии, пото́м в Моско́вском университе́те, на медици́нском факульте́те. Око́нчив университе́т, он не́которое вре́мя рабо́тал в го́спитале; пото́м бро́сил медици́ну, и на́чал писа́ть.

Пе́рвые расска́зы Че́хова весёлые, живы́е, по́лные ю́мора. Но юмори́стом он был недо́лго. Ско́ро его́ расска́зы ста́ли серьёзными, гру́стными, потому́ что они́ отража́ют ру́сскую жизнь того́ вре́мени — второ́й полови́ны девятна́дцатого ве́ка.

Но Че́хов изве́стен не то́лько свои́ми расска́зами.

[1] Becomes.
[2] Secret circle.
[3] Тепе́рь Ленингра́д.

Не ме́нее знамени́т он свои́ми пье́сами. Все его́ пье́сы, за исключе́нием одно́й, отража́ют пессими́зм ру́сской интеллиге́нции восьмидеся́тых годо́в про́шлого ве́ка. Эти пье́сы: "Ивано́в," "Дя́дя Ва́ня," "Ча́йка" и "Три сестры́." Исключе́нием явля́ется "Вишнёвый сад," пье́са, напи́санная за не́сколько ме́сяцев до сме́рти Че́хова. Это исключе́ние объясня́ется тем, что в са́мом конце́ девятна́дцатого ве́ка ру́сская интеллиге́нция, вдохновлённая но́выми иде́ями, ста́ла бодре́е смотре́ть на жизнь, на бу́дущее.

Че́хов о́чень объекти́вный писа́тель. Он рису́ет жизнь и люде́й таки́ми, каки́ми он их ви́дел, каки́ми они́ бы́ли.

Че́хов не то́лько вели́кий худо́жник, но и вели́кий психо́лог. Ча́сто в коро́теньком расска́зе он даёт нам це́лую глубо́кую челове́ческую траге́дию.

Че́хов у́мер в 1904-м (ты́сяча девятьсо́т четвёртом) году́.

Короле́нко (1853—1921)

Влади́мир Галактио́нович Короле́нко роди́лся в 1853-м (ты́сяча восемьсо́т пятьдеся́т тре́тьем) году́. Ра́но в жи́зни узна́л он нужду́ и го́ре. Когда́ ему́ бы́ло пятна́дцать лет, у́мер его́ оте́ц, оста́вив семью́ в нужде́. Студе́нческие го́ды Короле́нко бы́ли о́чень тяжёлые, так как на́до бы́ло учи́ться и в то́ же вре́мя зараба́тывать себе́ на жизнь.[1] По́зже, вспомина́я свои́ студе́нческие го́ды, он расска́зывал, что обе́д за семна́дцать копе́ек был тогда́ большо́й ро́скошью для него́.

Одна́ко, студе́нческие го́ды не́ бы́ли са́мыми тяжёлыми в его жи́зни. Когда́ ему́ бы́ло два́дцать шесть

[1] Work for a living.

лет, его́ арестова́ли и сосла́ли в Сиби́рь. Шесть лет про́жил Короле́нко в Сиби́ри, страда́я от хо́лода, одино́чества и лише́ний. К э́тому пери́оду его́ жи́зни отно́сятся не́которые из его́ лу́чших расска́зов, как "Сон Мака́ра," "Огоньки́" и други́е.

По оконча́нию сро́ка ссы́лки, Короле́нко верну́лся в Европе́йскую Росси́ю, где у́мер в 1921-м (ты́сяча девятьсо́т два́дцать пе́рвом) году́.

Расска́зы Короле́нко замеча́тельны красото́й языка́, свое́й си́лой и о́чень интере́сным содержа́нием.

Несмотря́ на тяжёлую жизнь, Короле́нко был оптими́стом. Он ве́рил в то, что в жи́зни люде́й, да́же в са́мые тяжёлые мину́ты, есть "огоньки́,"[1] кото́рые мелька́ют в темноте́, маня́т люде́й и даю́т им бо́дрость и наде́жду.

Са́мое изве́стное произведе́ние Короле́нко э́то его́ рома́н "Слепо́й музыка́нт."

Го́рький (1868—1936)

Макси́м Го́рький (Алексе́й Макси́мович Пешко́в) роди́лся в 1868-м (ты́сяча восемьсо́т шестьдеся́т восьмо́м) году́. Оте́ц Го́рького был рабо́чий. Го́рький ра́но в де́тстве потеря́л отца́, и жил у де́душки. Де́душка был гру́бый, жесто́кий челове́к, и ча́сто бил ма́льчика. В до́ме де́душки ма́льчик ча́сто слы́шал брань и ссо́ры. Ссо́рились пья́ные дя́ди ребёнка, и не то́лько ссо́рились, но и драли́сь. Еди́нственный симпати́чный челове́к в семье́ была́ у́мная, до́брая ба́бушка Го́рького, кото́рую ма́льчик о́чень люби́л. Он люби́л её не то́лько за доброту́ и за её любо́вь к нему́, но та́кже и за интере́сные ска́зки, кото́рые

[1] См. расска́з Короле́нко "Огоньки́".

она́ о́чень хорошо́ расска́зывала, и за краси́вые пе́сни, кото́рые она́ ему́ пе́ла. Го́рький узна́л от ба́бушки мно́го ска́зок и пе́сен, и о́чень полюби́л ру́сский фолькло́р.

Когда́ ма́льчику бы́ло де́вять лет, де́душка отда́л его́ в уче́ние к сапо́жнику. Жизнь его́ у сапо́жника была́ о́чень тяжёлая: корми́ли его́ пло́хо, и ча́сто би́ли его́. Го́рький сбежа́л, и стал броди́ть по бе́регу Во́лги. Зараба́тывал де́ньги, как мог: собира́л тря́пки и продава́л, пел в це́ркви, служи́л садо́вником. А два го́да ходи́л по ю́гу Росси́и, иногда́ оди́н, иногда́ с босяка́ми.

Го́рький мно́го пережи́л. Но несмотря́ на тяжёлую жизнь, он всегда был оптими́стом. Он люби́л жизнь, люби́л люде́й и ве́рил в них. Эту глубо́кую любо́вь и ве́ру он вы́разил в свои́х произведе́ниях.

Го́рький стал знамени́т по́сле пе́рвого расска́за, кото́рый он напеча́тал. И не́которое вре́мя по́сле э́того он продолжа́л писа́ть расска́зы. По́зже он стал писа́ть та́кже рома́ны и пье́сы, кото́рые ещё бо́лее изве́стны, чем его́ расска́зы.

Го́рький вели́кий худо́жник. Он осо́бенно хоро́ш в свои́х описа́ниях приро́ды.

Го́рький дал нам прекра́сные описа́ния ру́сских люде́й и ру́сской жи́зни, кото́рые он о́чень хорошо́ знал. Он нарисова́л мно́го сторо́н э́той жи́зни. Так, наприме́р, в свои́х рома́нах: "Фома́ Горде́ев," "Городо́к Оку́ров," "Де́ло Артамо́новых" он познако́мил нас с жи́знью ру́сских купцо́в; его́ рома́ны "Мать" и "Жизнь Кли́ма Самгина́" рису́ют карти́ну ру́сской револю́ции.

Из его́ пьес, напи́санных до револю́ции, са́мая изве́стная э́то "На дне́." По́сле револю́ции он написа́л не́сколько пьес, из кото́рых са́мая изве́стная э́то "Его́р Булычо́в и други́е."

Го́рький у́мер в 1936-м (ты́сяча девятьсо́т три́дцать шесто́м) году́.

Шо́лохов

Михаи́л Алекса́ндрович Шо́лохов роди́лся в 1905-м (ты́сяча девятьсо́т пя́том) году́. Каза́к по происхожде́нию, он вы́рос среди́ каза́ков, жизнь кото́рых он о́чень хорошо́ знал и прекра́сно описа́л в свои́х произведе́ниях.

Когда́ Шо́лохову бы́ло восемна́дцать лет, он на́чал писа́ть расска́зы. Его́ расска́зы по́зже бы́ли со́браны вме́сте и и́зданы под назва́нием "Донски́е расска́зы."

В 1928-м (ты́сяча девятьсо́т два́дцать восьмо́м) году́ Шо́лохов на́чал писа́ть свой знамени́тый рома́н "Ти́хий Дон," кото́рый стал изве́стен не то́лько в СССР, но и за грани́цей. Мно́го лет рабо́тал Шо́лохов над э́тим рома́ном.

"Ти́хий Дон"— истори́ческий рома́н. В нём а́втор рису́ет широ́кую панора́му жи́зни донски́х каза́ков, кото́рая начина́ется незадо́лго до пе́рвой мирово́й войны́, захва́тывает войну́, ру́сскую револю́цию и гражда́нскую войну́.

Шо́лохов осо́бенно хоро́ш там, где он опи́сывает каза́ков, их жизнь и их роль в войне́ и револю́ции.

Друго́й рома́н Шо́лохова, ме́нее изве́стный за грани́цей, чем "Ти́хий Дон," э́то "По́днятая целина́." В э́том рома́не а́втор даёт карти́ну разви́тия колхо́зного движе́ния среди́ донски́х каза́ков.

КРА́ТКИЕ СВЕ́ДЕНИЯ ПО ГЕОГРА́ФИИ И ИСТО́РИИ СССР

Геогра́фия

I

СССР, и́ли Сою́з Сове́тских Социалисти́ческих Респу́блик, состои́т из пятна́дцати респу́блик.

СССР са́мая больша́я страна́ в ми́ре.

Приро́да э́той страны́, её кли́мат, расте́ния и живо́тные, о́чень бога́ты и разнообра́зны. На далёком се́вере кли́мат о́чень суро́вый. Зима́ там продолжа́ется семь или во́семь ме́сяцев, и на огро́мном протяже́нии земля́ никогда́ не отта́ивает. А на ю́ге зре́ют апельси́ны и лимо́ны; расту́т чай, хло́пок, масли́ны. Со́лнце там горячо́ гре́ет; так горячо́, что на берегу́ Чёрного мо́ря есть места́, где всё зре́ет о́чень бы́стро, и где убо́рка плодо́в быва́ет три ра́за в год.

Таки́е больши́е контра́сты встреча́ются не то́лько ме́жду далёким се́вером и кра́йним ю́гом страны́. Их мо́жно найти́ в не́которых отде́льных частя́х СССР, как наприме́р в Сиби́ри с её огро́мными расстоя́ниями. Да и не́зачем брать всю Сиби́рь: одно́й ча́сти её доста́точно для э́того. В це́нтре Сиби́ри, наприме́р, до́лгая, суро́вая зима́ продолжа́ется семь или во́семь ме́сяцев и сменя́ется о́чень жа́рким ле́том.

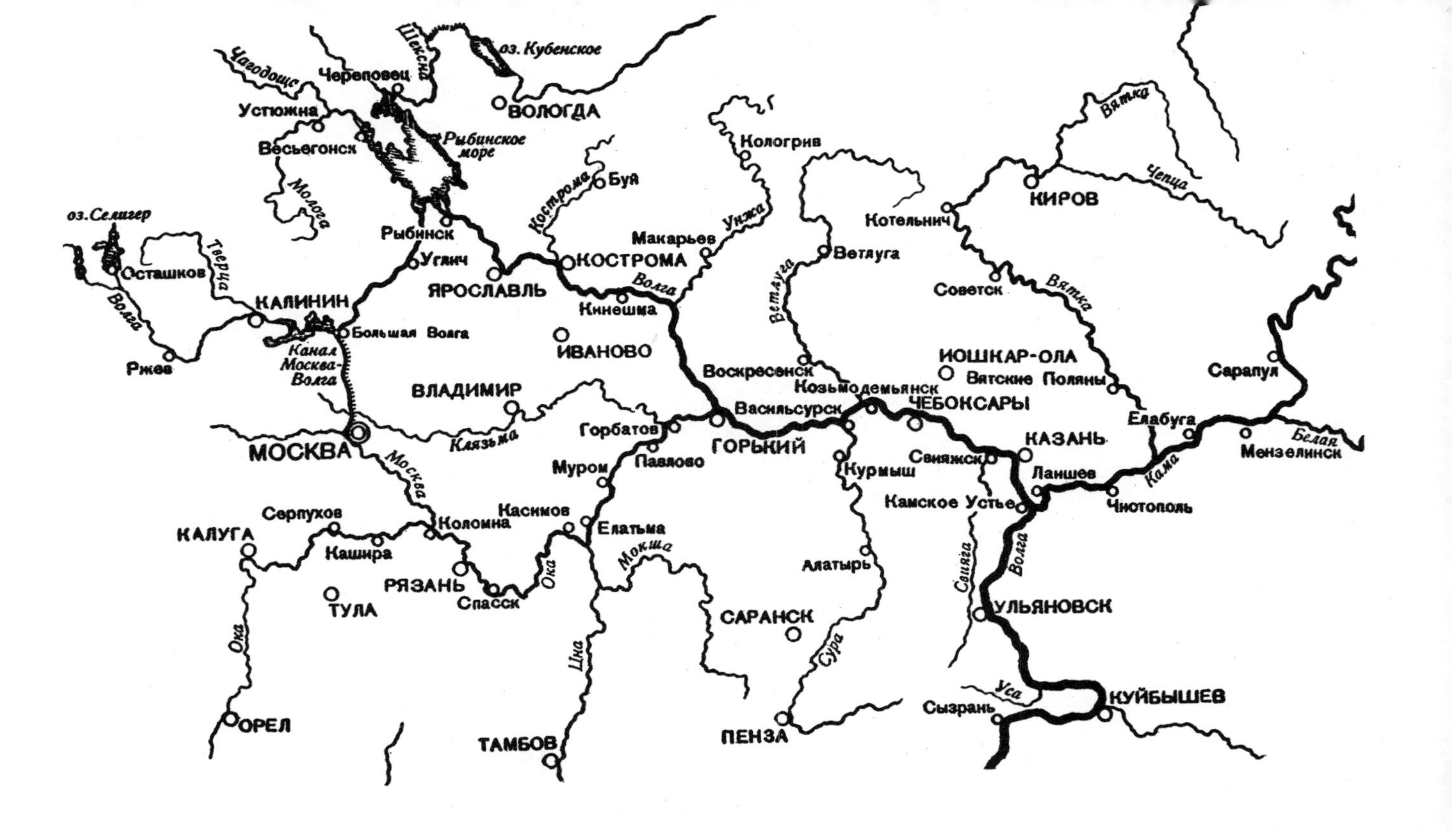

Череповец
Шексна
оз. Кубенское
Чагодощ
Устюжна
ВОЛОГДА
Весьегонск
Рыбинское море
Молога
Кологрив
Буя
Кострома
оз.Селигер
Рыбинск
Макарьев
Унжа
Тверца
Осташков
Углич
ЯРОСЛАВЛЬ
КОСТРОМА
Волга
Ветлуга
Котельнич
КИРОВ
Вятка
Чепца
Советск
КАЛИНИН
Кинешма
Большая Волга
ИВАНОВО
Ржев
Канал Москва-Волга
ВЛАДИМИР
Воскресенск
ИОШКАР-ОЛА
Вятские Поляны
Сарапул
Козьмодемьянск
ЧЕБОКСАРЫ
Васильсурск
Горбатов
Клязьма
МОСКВА
Москва
ГОРЬКИЙ
Павлово
Елабуга
Белая
Мензелинск
КАЗАНЬ
Свияжск
Курмыш
Муром
Ланшев
Кама
Камское Устье
Чистополь
Серпухов
Касимов
Коломна
Елатьма
КАЛУГА
Кашира
Мокша
Алатырь
Свияга
РЯЗАНЬ
Спасск
Ока
ТУЛА
УЛЬЯНОВСК
САРАНСК
Сура
Цна
Уса
КУЙБЫШЕВ
Сызрань
ОРЕЛ
ТАМБОВ
ПЕНЗА

II

Два океа́на и не́сколько море́й омыва́ют берега́ СССР: на восто́ке — Вели́кий океа́н, Охо́тское мо́ре и Япо́нское мо́ре; на се́вере — Се́верный Ледови́тый океа́н; на за́паде — Балти́йское мо́ре; на ю́ге — Чёрное мо́ре и Азо́вское мо́ре; и на ю́го-за́паде — Каспи́йское мо́ре.

Внутри́ СССР мно́го рек и озёр. Не́которые из рек принадлежа́т к числу́ са́мых больши́х рек ми́ра. Из гла́вных назовём сле́дующие: Во́лга, Дон и Днепр — в Сове́тской Евро́пе, и Обь, Енисе́й, Ле́на и Аму́р — в Сове́тской Азии. Во́лга впада́ет в Каспи́йское мо́ре, Дон — в Азо́вское, а Днепр — в Чёрное. Обь, Енисе́й и Ле́на теку́т на се́вер, в Ледови́тый океа́н, Аму́р течёт на юг, в Ти́хий океа́н.

Во́лга — са́мая больша́я река́ в Евро́пе. Ру́сские осо́бенно лю́бят Во́лгу. Про неё сложи́ли мно́го пе́сен и леге́нд. В пе́снях её называ́ют "Ма́тушка-Во́лга."

Наряду́ с ре́ками име́ются кана́лы, са́мые замечательные из кото́рых э́то кана́л Во́лга-Москва́ и Беломо́рский-Балти́йский. Пе́рвый, как э́то ви́дно из его́ назва́ния, соединя́ет Во́лгу с Москва́-реко́й; второ́й — Бе́лое мо́ре с Балти́йским.

Байка́льское о́зеро, в восто́чной Сиби́ри, — са́мое большо́е о́зеро СССР.

СССР о́чень бога́т леса́ми. На се́вере, на протяже́нии четырёх ты́сяч миль, тя́нутся густы́е леса́. Други́е леса́, хво́йные и ли́ственные, разбро́саны по все́й стране́.

СССР — одна́ из са́мых бога́тых, а мо́жет быть и са́мая бога́тая страна́ в ми́ре по свои́м приро́дным бога́тствам.

СССР — гла́вным о́бразом равни́на. Но есть там и больши́е го́ры. Из них назовём: Ура́льские го́ры, кото́рые отделя́ют Евро́пу от Азии, и на ю́ге, от ю́го-за́пада к ю́го-восто́ку, тя́нутся Кры́мские го́ры, Кавка́зские, Пами́рские и Алта́йские.

III

Разнообра́зны кли́мат и приро́да СССР, но не ме́нее разнообра́зны наро́ды, живу́щие в стране́.

В СССР 189 (сто во́семьдесят де́вять) ра́зных наро́дов, говоря́щих на ра́зных языка́х и испове́дующих ра́зные рели́гии.

Мно́гие из наро́дов СССР не похо́жи оди́н на друго́й. Лю́ди се́вера, живу́щие среди́ снего́в и льдов, как наприме́р эскимо́сы и́ли самое́ды, — угрю́мы, как их приро́да. Украи́нцы, вы́росшие среди́ краси́вых цвето́в и под горя́чим со́лнцем ю́га, и́ли грузи́ны, армя́не, живу́щие на Кавка́зе, где приро́да бога́та и краси́ва, — весёлые, живы́е.

У всех наро́дов СССР своя́ культу́ра, свой язы́к. Но все они́ гра́ждане одно́й страны́. "Ка́ждый граждани́н Сою́зной респу́блики явля́ется граждани́ном СССР"— говори́тся в конститу́ции Сою́за Сове́тских Социалисти́ческих Респу́блик.

В шко́лах ка́ждой сове́тской респу́блики обуче́ние ведётся на языке́ респу́блики, но все изуча́ют та́кже ру́сский язы́к.

Не́которые из наро́дов СССР ещё сохрани́ли свои́ национа́льные костю́мы. Не́которые же други́е национа́льные костю́мы постепе́нно исчеза́ют, и жи́тели начина́ют одева́ться, как одева́ются в Москве́, Ленингра́де и други́х города́х Сове́тского Сою́за.

Тата́рское наше́ствие

Росси́я когда́-то дели́лась на мно́го часте́й. Ка́ждой из э́тих часте́й управля́л[1] князь, и ка́ждая часть называ́лась кня́жеством.

Ру́сские князья́ не жи́ли дру́жно, и э́тим си́льно подрыва́ли си́лы страны́. Сосе́ди Росси́и по́льзовались э́тим, и ча́сто напада́ли на неё. Са́мыми си́льными врага́ми Росси́и бы́ли тата́ры, кото́рые всё вре́мя напада́ли на Росси́ю то с ю́га, то с восто́ка. Наконе́ц, в трина́дцатом ве́ке тата́ры напа́ли на Росси́ю и покори́ли её. Ру́сские князья́ не могли́ защи́тить страну́. Ру́сский наро́д хра́бро боро́лся с врага́ми, но безуспе́шно. Са́мый тяжёлый уда́р получи́ла Росси́я, когда́ тата́ры взя́ли го́род Ки́ев — центр ста́рой ру́сской культу́ры. Они́ разру́шили Ки́ев, и основа́ли на Во́лге своё госуда́рство. Тата́рский хан Баты́й назва́л э́то госуда́рство "Золота́я орда́." Столи́цей Золото́й орды́ он сде́лал бога́тый и краси́вый го́род Сара́й.

Ру́сские князья́ оста́лись в свои́х кня́жествах, но потеря́ли свою́ власть.

Тру́дно бы́ло ру́сским лю́дям жить под вла́стью тата́р. Они́ должны́ бы́ли плати́ть тата́рам дань. Люде́й, у кото́рых не́ было де́нег, бра́ли в плен и продава́ли в ра́бство.

Тата́ры остава́лись в Росси́и бо́льше двухсо́т лет. Этот пери́од изве́стен в исто́рии под назва́нием "монго́льское и́го." В конце́ пятна́дцатого ве́ка Моско́вское кня́жество объедини́лось с сосе́дними кня́жествами, и о́бщими си́лами ру́сские вы́гнали тата́р из Росси́и и положи́ли коне́ц тата́рскому и́гу.

[1] Управля́ть calls for the instrumental case.

Алекса́ндр Не́вский

По́льзуясь тем, что ру́сские бы́ли за́няты борьбо́й с тата́рами, други́е си́льные враги́ напа́ли на страну́ со стороны́ Балти́йского мо́ря и реки́ Невы́. Эти враги́ бы́ли шве́ды. Они́ наступа́ли на Новгоро́дское кня́жество и грози́ли завоева́ть его́.

В Но́вгороде был тогда́ князь по и́мени Алекса́ндр. Алекса́ндр собра́л свои́ войска́, и разби́л шве́дов на реке́ Неве́. Его́ поэ́тому назва́ли "Не́вский".

Не успе́ли ру́сские опра́виться от войны́ со шве́дами, как други́е си́льные враги́ появи́лись на берега́х Балти́йского мо́ря и грози́ли покори́ть Росси́ю. То бы́ли неме́цкие ры́цари, кото́рые в э́то вре́мя про́бовали завоева́ть Росси́ю. Положе́ние бы́ло о́чень крити́ческое. Хорошо́ вооружённые не́мцы, с головы́ до ног защищённые ста́лью, шли на го́род Но́вгород, уничтожа́я всё по пути́ и забира́я ру́сских в плен. Ру́сским грози́ла ги́бель. Алекса́ндр Не́вский, вели́кий патрио́т и полково́дец, опять спас свою́ страну́. Он загна́л не́мцев на Чу́дское о́зеро и там, на льду, разби́л войска́ врага́ и обрати́л их в бе́гство. Это бы́ло в ма́рте. Лёд на о́зере, под тя́жестью не́мцев, проломи́лся. Мно́го не́мцев потону́ло; мно́го бы́ло уби́то и ра́нено.

Ру́сские с глубо́кой благода́рностью вспомина́ют своего́ спаси́теля Алекса́ндра Не́вского.

Пётр Вели́кий (1672—1725)

Пётр Пе́рвый, и́ли Вели́кий, был челове́к гениа́льного ума́, огро́мной физи́ческой си́лы и желе́зной во́ли. Он та́кже облада́л большо́й любозна́тельностью. Его́ осо́бенно интересова́ла постро́йка корабле́й.

Алекса́ндр Не́вский (Совфо́то)

Пётр Вели́кий вступи́л на престо́л в конце́ семна́дцатого ве́ка. Росси́я в то вре́мя была́ о́чень отста́лой страно́й. Пётр Вели́кий мно́го е́здил по за́падной Евро́пе, где он мно́гому учи́лся у англича́н и голла́ндцев. В Голла́ндии он, с топоро́м в рука́х, в оде́жде рабо́чего, рабо́тал, как пло́тник. Он хоте́л не то́лько знать тео́рию постро́йки корабле́й, но и уме́ть всё де́лать сам.

Вторы́м больши́м интере́сом Петра́ Вели́кого была́ а́рмия. Ещё ма́льчиком он созда́л а́рмию из дете́й, и был их генера́лом. Его́ а́рмия росла́ вме́сте с ним, и по́зже ста́ла полко́м прекра́сных солда́т и офице́ров.

Росси́я была́ в то вре́мя отре́зана от за́падной Евро́пы. У неё не́ было ни одного́ порта́. Пётр Вели́кий хоте́л нача́ть торго́влю с други́ми стра́нами, как Англия, Фра́нция, Да́ния. Для э́того нужны́ бы́ли порты́. В войне́ с Ту́рцией Пётр взял туре́цкий порт Азо́в; пото́м, в войне́ со шве́дами, — два порта́ на Балти́йском мо́ре: Ри́гу и Ре́вель. Там он постро́ил си́льный флот. Вско́ре по́сле э́того, в 1703-м (ты́сяча семьсо́т тре́тьем) году́, он постро́ил на реке́ Неве́ го́род Петербу́рг, кото́рый тепе́рь называ́ется Ленингра́д, по и́мени Ле́нина. Пётр Вели́кий сде́лал Петербу́рг столи́цей Росси́и. До него́ столи́цей была́ Москва́.

Свои́ми побе́дами над ту́рками и шве́дами Пётр Вели́кий сбли́зил Росси́ю с за́падной Евро́пой. Он ви́дел, как си́льно Росси́я отста́ла от други́х европе́йских стран, и стал вводи́ть в свою́ страну́ за́падную цивилиза́цию.

Благодаря́ сноше́ниям ру́сских с за́падной Евро́-

пой, ру́сская инду́стрия ста́ла развива́ться: на́чали стро́ить фа́брики и заво́ды.

Но Петра́ Вели́кого интересова́ли не то́лько инду́стрия и торго́вля с иностра́нцами. Он та́кже о́чень мно́го сде́лал для распростране́ния образова́ния в стране́. В Росси́и бы́ли откры́ты вы́сшие шко́лы Учителя́ми в э́тих шко́лах бы́ли англича́не, францу́зы, не́мцы и други́е иностра́нцы. Прави́тельство ста́ло посыла́ть спосо́бных молоды́х люде́й учи́ться за грани́цу. Ру́сские ста́ли изуча́ть и переводи́ть иностра́нную литерату́ру и нау́чные труды́. При Петре́ Вели́ком ста́ла издава́ться пе́рвая ру́сская газе́та, а в год его́ сме́рти была́ осно́вана акаде́мия нау́к, по его́ пла́ну.

Пётр Вели́кий ввёл мно́го рефо́рм. Вся жизнь страны́, как социа́льная, так и полити́ческая и экономи́ческая, измени́лась с Петро́м Вели́ким.

Наполео́н в Москве́

Наполео́н со свои́м шта́бом останови́лся на Покло́нной горе́ и смотре́л на Москву́. Огро́мный го́род сверка́л под луча́ми осе́ннего со́лнца.

“Наконе́ц! Вот он, знамени́тый го́род!” — воскли́кнул Наполео́н. Он ждал, когда́ градонача́льник Москвы́ принесёт ему́ ключи́ от го́рода. Так де́лали градонача́льники други́х городо́в, кото́рые он покори́л.

Но прошёл час, друго́й, тре́тий, а ключе́й от Москвы́ ему́ не несли́. Москва́ была́ пуста́.

Наконе́ц, он пода́л знак руко́й, и все францу́зские войска́ дви́нулись вперёд по у́лицам Москвы́. Наполео́н вошёл в Кремль и там оста́лся.

Стра́шно бы́ло его́ пробужде́ние на второ́й день.

Ста́туя Петра́ Вели́кого в Ленингра́де (Совфо́то)

В окно́ кремлёвского дворца́ он уви́дел, что Москва́ гори́т. Он подбежа́л к о́кнам, кото́рые выходи́ли на Кра́сную пло́щадь. На пло́щади горе́ли зда́ния. Он подбежа́л к о́кнам, кото́рые выходи́ли на Москва́-реку́, и уви́дел, что по ту́ сто́рону реки́ горе́ли дома́. Наполео́н оде́лся, вы́шел на кремлёвский двор и приказа́л потуши́ть пожа́р. Но всё бы́ло напра́сно: Москва́ горе́ла со всех сторо́н. Она́ горе́ла не́сколько дней.

Ру́сский наро́д поднима́лся на защи́ту ро́дины: партиза́ны напада́ли на францу́зов, кото́рые шли в Москву́ помо́чь а́рмии Наполео́на. Крестья́не не привози́ли в Москву́ проду́ктов. Наступи́л го́лод.

Пришла́ зима́. Армия Наполео́на была́ отре́зана от Фра́нции, и всё бо́льше и бо́льше слабе́ла. Тогда́ Наполео́н реши́л отступи́ть от Москвы́. Зима́ была́ суро́вая; мно́го францу́зов поги́бло от хо́лода. То́лько жа́лкие оста́тки когда́-то си́льной а́рмии верну́лись во Фра́нцию.

М. Бра́гин.

Ле́нин

Влади́мир Ильи́ч Ле́нин (Улья́нов) роди́лся в 1870-м (ты́сяча восемьсо́т семидеся́том) году́ в Симби́рске. Этот го́род называ́ется тепе́рь Улья́новск. Оте́ц Ле́нина был дире́ктором школ в Симби́рске.
Когда́ Ле́нину бы́ло семна́дцать лет, он, око́нчив гимна́зию с золото́й меда́лью, поступи́л в Каза́нский университе́т. Но университе́та он не око́нчил: его́ исключи́ли за то, что он принима́л уча́стие в агита́циях студе́нтов про́тив ру́сского прави́тельства. Тогда́ Ле́нин уе́хал в Сама́ру, где продолжа́л учи́ться.

В то́ же вре́мя он изуча́л маркси́зм, и принима́л акти́вное уча́стие в революцио́нном движе́нии страны́. За э́то его́ арестова́ли и сосла́ли на́ три го́да в Сиби́рь. Верну́вшись из Сиби́ри, Ле́нин уе́хал за грани́цу. Там он на́чал издава́ть маркси́стскую газе́ту, кото́рая называ́лась "Искра". Эта газе́та печа́талась на о́чень то́нкой бума́ге и та́йно посыла́лась в Росси́ю.

В 1903-м (ты́сяча девятьсо́т тре́тьем) году́ за грани́цей был съезд ру́сских маркси́стов, на кото́рый прие́хало мно́го делега́тов из Росси́и. На съе́зде Ле́нин вы́ступил с програ́ммой, про́тив кото́рой вы́ступило не́сколько други́х делега́тов. Они́ предлага́ли другу́ю програ́мму. Тогда́ все воти́ровали, и сторо́нники Ле́нина получи́ли большинство́ голосо́в. Поэ́тому их назва́ли "большевики́".

Мно́го лет рабо́тал Ле́нин, то за грани́цей, то в Росси́и, как вождь ру́сских маркси́стов.

В 1917-м (ты́сяча девятьсо́т семна́дцатом) году́, по́сле револю́ции, Росси́я ста́ла Сою́зом Сове́тских Социалисти́ческих Респу́блик, а Ле́нин стал вождём Сою́за.

Ле́нин у́мер в 1924-м (ты́сяча девятьсо́т два́дцать четвёртом) году́. Те́ло его́ нахо́дится в стекля́нном гробу́, в грани́тном мавзоле́е, на Кра́сной пло́щади в Москве́.

Мавзоле́й Ле́нина (Совфо́то)

МЕДВЕ́ДЬ: ШУ́ТКА В ОДНО́М ДЕ́ЙСТВИИ — ЧЕ́ХОВ

ДЕ́ЙСТВУЮЩИЕ ЛИ́ЦА

Еле́на Ива́новна Попо́ва, *вдова́ с я́мочками на щека́х, поме́щица*
Григо́рий Степа́нович Смирно́в, *неста́рый поме́щик*
Лука́, *лаке́й* **Попо́вой,** *стари́к*

Гости́ная в уса́дьбе **Попо́вой**

Попо́ва (*в глубо́ком тра́уре, не отрыва́ет глаз от фотографи́ческой ка́рточки*) *и* **Лука́**

Лука́. Нехорошо́, ба́рыня. . . . Гу́бите вы себя́ то́лько. . . . Це́лый день сиди́те в ко́мнате, как в монастыре́. Уже́ год прошёл, как вы и́з дому не выхо́дите!

Попо́ва. И не вы́йду никогда́. . . . Заче́м? Жизнь моя́ уже́ ко́нчена. Он лежи́т в моги́ле, я погребла́ себя́ в четырёх сте́нах. . . . Мы о́ба умерли́.

Лука́. Ну вот! Не всю́ же жизнь вы бу́дете пла́кать и тра́ур носи́ть. У меня́ то́же в своё вре́мя жена́ умерла́. . . . Что́ же? Popла́кал с ме́сяц, и дово́льно, а е́сли всю жизнь пла́кать, то и стару́ха того́ не сто́ит. (*Вздыха́ет.*) Сосе́дей всех забы́ли. . . . И са́ми не е́здите, и принима́ть не хоти́те. Живём, как пауки́, никого́ не ви́дим. . . . Эх, ба́рыня! Молода́я, краси́вая, жи́ли бы в своё удово́льствие. . . . Красота́ не наве́ки дана́! Пройдёт лет де́сять, са́ми захоти́те пожи́ть, но по́здно бу́дет.

Попо́ва (*реши́тельно*). Я прошу́ никогда́ не говори́ть мне об э́том! Ты зна́ешь, с тех пор, как у́мер

Никола́й Миха́йлович, жизнь потеря́ла для меня́ вся́кую це́ну. Тебе́ ка́жется, что я жи́ва, но э́то то́лько ка́жется. Я дала́ сло́во до са́мой моги́лы не снима́ть тра́ура и не ви́деть никого́. Слы́шишь? Пусть тень его́ ви́дит, как я его́ люблю́. . . . Да, я зна́ю, для тебя́ не секре́т, что он ча́сто быва́л несправедли́в ко мне, жесто́к и . . . и да́же неве́рен, но я бу́ду верна́ до моги́лы и докажу́ ему́, как я уме́ю люби́ть.

Лука́. Чем так говори́ть, пошли́ бы лу́чше по са́ду погуля́ли, и́ли веле́ли бы запря́чь То́би и к сосе́дям в го́сти. . . .

Попо́ва. Ах! . . . (*пла́чет*)

Лука́. Ба́рыня! . . . Ма́тушка! . . . Что́ вы? Христо́с с ва́ми! . . .

Попо́ва. Он так люби́л То́би! Он всегда́ е́здил на нём к Корча́гиным и Вла́совым. Как он чу́дно пра́вил! Ско́лько гра́ции бы́ло в его́ фигу́ре, когда́ он изо всей си́лы натя́гивал во́жжи! По́мнишь? То́би, То́би! Вели́ дать ему́ сего́дня бо́льше овса́.

Лука́. Слу́шаю!

(*Ре́зкий звоно́к*)

Попо́ва (*вздра́гивает*). Кто́ э́то? Скажи́, что я никого́ не принима́ю!

Лука́. Слу́шаю! (*ухо́дит*)

II

Попо́ва (*одна́*)

Попо́ва (*гля́дя на фотогра́фию*). Ты уви́дишь, Nicolas, как я уме́ю люби́ть и проща́ть. . . . Любо́вь моя́ умрёт вме́сте со мно́ю, когда́ переста́нет би́ться моё бе́дное се́рдце. (*Смеётся сквозь слёзы*) И тебе́ не сты́дно? Я хоро́шая, ве́рная жена́, заперла́ себя́ на замо́к и бу́ду верна́ тебе́ до моги́лы, а ты. . . . И тебе́ не сты́дно? Был мне неве́рен, по це́лым неде́лям оставля́л меня́ одну́. . . .

Попо́ва *и* **Лука́**

Лука́ (*вхо́дит*). Ба́рыня, там кто́-то спра́шивает вас. Хо́чет ви́деть . . .

Попо́ва. Ты сказа́л, что я со дня сме́рти му́жа никого́ не принима́ю?

Лука́. Сказа́л, но он и слу́шать не хо́чет, говори́т, что о́чень ва́жное де́ло.

Попо́ва. Я не при—ни—ма́—ю!

Лука́. Я ему́ говори́л, но он руга́ется и пря́мо в ко́мнату идёт . . . уже́ в столо́вой стои́т . . .

Попо́ва (*раздражённо*). Хорошо́, проси́. Каки́е неве́жи!

(**Лука́** *ухо́дит.*)

Попо́ва. Что́ им от меня́ ну́жно? Заче́м они́ меня́ беспоко́ят? (*Вздыха́ет*) Пойду́ в монасты́рь . . . (*заду́мывается*) Да, в монасты́рь. . . .

Попо́ва, Лука́ *и* **Смирно́в**

Смирно́в (*входя́,* **Луке́**). Дура́к, лю́бишь мно́го разгова́ривать. . . . Осёл. . . . (*уви́дев* **Попо́ву,** *с досто́инством*) Мада́м, честь име́ю предста́виться: отставно́й пору́чик артилле́рии, Григо́рий Степа́нович Смирно́в! Вы́нужден беспоко́ить вас по о́чень ва́жному де́лу. . . .

Попо́ва (*не подава́я руки́*). Что вам уго́дно?

Смирно́в. Ваш поко́йный муж был мне до́лжен ты́сячу две́сти рубле́й. Так как я за́втра до́лжен уплати́ть проце́нты в банк, то я прошу́ уплати́ть мне де́ньги сего́дня.

Попо́ва. Ты́сяча две́сти. . . . А за что мой муж был вам до́лжен?

Смирно́в. Он покупа́л у меня́ овёс.

Попо́ва (*вздыха́я*, **Луке́**). Не забу́дь же, Лука́, сказа́ть, что́бы да́ли То́би бо́льше овса́. (**Лука́** *ухо́дит*, **Смирно́ву**.) Если Никола́й Миха́йлович был вам до́лжен, то я, коне́чно, заплачу́; но извини́те, пожа́луйста, у меня́ сего́дня нет де́нег. Послеза́втра вернётся из го́рода мой управля́ющий, и я ему́ скажу́, чтоб он вам уплати́л, а пока́ я не могу́ э́того сде́лать. . . . К тому́ же, сего́дня ро́вно семь ме́сяцев, как у́мер мой муж, и у меня́ тепе́рь тако́е настрое́ние, что я не могу́ занима́ться дела́ми.

Смирно́в. А у меня́ тепе́рь тако́е настрое́ние, что е́сли я за́втра не заплачу́ проце́нтов, то у меня́ опи́шут име́ние!

Попо́ва. Послеза́втра вы полу́чите свои́ де́ньги.

Смирно́в. Мне нужны́ де́ньги не послеза́втра, а сего́дня.

Попо́ва. Прости́те, сего́дня я не могу́ заплати́ть вам.

Смирно́в. А я не могу́ ждать до послеза́втра.

Попо́ва. Что же де́лать, е́сли у меня́ сейча́с нет?

Смирно́в. Вы не мо́жете заплати́ть?

Попо́ва. Не могу́ . . .

Смирно́в. Гм! . . . Это ва́ше после́днее сло́во?

Попо́ва. Да, после́днее.

Смирно́в. После́днее? Положи́тельно?

Попо́ва. Положи́тельно.

Смирно́в. Спаси́бо. (*Пожима́ет плеча́ми.*) А ещё

хотя́т, что́бы я не серди́лся! Как я могу́ не серди́ться? Мне так нужны́ де́ньги. . . . Вы́ехал я ещё вчера́ у́тром, был у всех должнико́в, но ни оди́н из них не уплати́л свой долг! Изму́чился как соба́ка. . . . Наконе́ц, прие́хал сюда́ за се́мьдесят вёрст от до́му, наде́юсь получи́ть, а меня́ угоща́ют "настрое́нием"! Как же не серди́ться?

Попо́ва. Я вам я́сно сказа́ла: управля́ющий вернётся из го́рода, тогда́ и полу́чите.

Смирно́в. Я прие́хал не к управля́ющему, а к вам!

Попо́ва. Прости́те, я не привы́кла к тако́му то́ну. Я вас бо́льше не слу́шаю. (*Бы́стро ухо́дит*)

Смирно́в (*оди́н*)

Смирно́в. Настрое́ние! . . . Семь ме́сяцев тому́ наза́д муж у́мер! Да мне́-то ну́жно плати́ть проце́нты или не́т? Ну, у вас муж у́мер, настрое́ние . . . управля́ющий куда́-то уе́хал, а мне́ что де́лать? Улете́ть от свои́х кредито́ров на возду́шном ша́ре, что́-ли? Приезжа́ю к Груздёву — до́ма нет. Яроше́вич спря́тался, у Мазу́това — инфлуэ́нца, у э́той настрое́ние. Никто́ не пла́тит! А всё оттого́, что я сли́шком делика́тен с ни́ми! Погоди́те! Узна́ете вы меня́! Я не позво́лю шути́ть с собо́ю! Оста́нусь здесь пока́ она́ не запла́тит! Брр! . . . Как я зол сего́дня, как я зол! . . . Бо́же мой, мне да́же ду́рно де́лается! (*кричи́т*) Челове́к!

Смирно́в *и* **Лука́**

Лука́ (*вхо́дит*). Чего́ вам?
Смирно́в. Дай мне воды́!

(**Лука́** *ухо́дит.*)

Смирно́в. Нет, кака́я ло́гика! Челове́ку де́ньги нужны́, а она́ не пла́тит, потому́ что, ви́дите-ли, у неё тако́е настрое́ние! . . . Настоя́щая же́нская ло́гика! Потому́-то я никогда́ не люби́л и не люблю́ говори́ть с же́нщинами. Для меня́ ле́гче сиде́ть на бо́чке с по́рохом, чем говори́ть с же́нщиной. Брр! . . . Как я зол!

Смирно́в *и* **Лука́**

Лука́ (*вхо́дит и подаёт во́ду*). Ба́рыня больна́ и не принима́ет.

Смирно́в. Пошёл!

(**Лука́** *ухо́дит.*)

Смирно́в. Больна́ и не принима́ет! Не принима́й. . . . Я оста́нусь и бу́ду сиде́ть здесь, пока́ не отда́шь де́нег. Неде́лю бу́дешь больна́, и я неде́лю просижу́ здесь. . . . Год бу́дешь больна́, я год просижу́. . . . Меня́ не тро́нешь тра́уром, да я́мочками на щека́х. . . . Зна́ем мы э́ти я́мочки! (*кричи́т в окно́*) Семён, распряга́й! Мы не ско́ро уе́дем! Я здесь остаю́сь! (*отхо́дит от окна́*) Пло́хо . . . жара́ невыноси́мая, де́нег никто́ не пла́тит, пло́хо спал но́чью. . . .Голова́ боли́т. . . . Во́дки вы́пить, что́-ли? (*кричи́т*) Челове́к!

Лука́ (*вхо́дит*). Что́ вам?

Смирно́в. Дай рю́мку во́дки!

(**Лука́** *ухо́дит.*)

Смирно́в. Уф! (*сади́тся и огля́дывает себя́*). Я весь в пыли́, сапоги́ гря́зные, не умы́т, не причёсан. . . . Она́ меня́, вероя́тно, за разбо́йника при́няла. (*Зева́ет*) Ничего́, я здесь не гость, а кредито́р . . .

Лука́ (*вхо́дит и подаёт во́дку*). Мно́го вы позволя́ете себе́ . . .

Смирно́в (*серди́то*). Что?

Лука́. Я . . . я . . . ничего́ . . .

Смирно́в. С кем ты разгова́риваешь? Молча́ть!

(**Лука́** *ухо́дит.*)

Смирно́в. Ах, как я зол! . . . Да́же ду́рно де́лается! (*крича́т*) Челове́к!

Попо́ва *и* **Смирно́в**

Попо́ва (*вхо́дит опусти́в глаза́.*) Очень прошу́ вас не крича́ть. В своём уедине́нии я давно́ уже́ отвы́кла от челове́ческого го́лоса и не выношу́ кри́ка.

Смирно́в. Заплати́те мне де́ньги, и я уе́ду.

Попо́ва. Я вам я́сно сказа́ла: у меня́ тепе́рь де́нег нет, подожди́те до послеза́втра.

Смирно́в. Я то́же име́л честь сказа́ть вам о́чень я́сно: мне нужны́ де́ньги не послеза́втра, а сего́дня.

Попо́ва. Но что же мне де́лать, е́сли у меня́ нет де́нег?

Смирно́в. Так вы сейча́с не запла́тите? Нет?

Попо́ва. Не могу́ . . .

Смирно́в. В тако́м слу́чае я остаю́сь здесь и бу́ду сиде́ть, пока́ не получу́ . . . (*сади́тся*). Послеза́втра запла́тите? Хорошо́! Я до послеза́втра просижу́ здесь . . . (*вска́кивает*). Я вас спра́шиваю: мне ну́жно плати́ть за́втра проце́нты, и́ли нет? . . . Или вы ду́маете, что я шучу́?

Попо́ва. Прошу́ вас не крича́ть.

Смирно́в. Я вас не о то́м спра́шиваю; ну́жно мне за́втра плати́ть проце́нты, и́ли нет?

Попо́ва. Вы не уме́ете держа́ть себя́ в же́нском о́бществе!

Смирно́в. Нет, я уме́ю держа́ть себя́ в же́нском о́бществе!

Попо́ва. Нет, не уме́ете! Вы невоспи́танный, гру́бый челове́к! Воспи́танные лю́ди не говоря́т так с же́нщинами!

Смирно́в. Ах! А как мне говори́ть с ва́ми? По францу́зски, что́-ли? Мада́м, же ву при́, как я сча́стлив, что вы не пла́тите мне де́нег. . . . Ах, пардо́н, что беспоко́ю вас! Кака́я сего́дня хоро́шая пого́да!

Попо́ва. Не у́мно и гру́бо.

Смирно́в. Не у́мно и гру́бо! Я не уме́ю держа́ть себя́ в же́нском о́бществе! Мада́м, в свое́й жи́зни я ви́дел же́нщин гора́здо бо́льше, чем вы воробьёв! Три ра́за я стреля́лся на дуэ́ли из-за же́нщин. Двена́дцать же́нщин я бро́сил, де́вять бро́сили меня́. Да, бы́ло вре́мя, когда́ я люби́л, страда́л, вздыха́л на луну́ . . . люби́л стра́стно, бе́шенно! Но тепе́рь дово́льно! Чёрные глаза́, я́мочки на щека́х, луна́ — за всё э́то я тепе́рь копе́йки не дам! Ра́зве же́нщина уме́ет люби́ть кого́-нибу́дь? Скажи́те, пожа́луйста, ви́дели-ли вы когда́-нибу́дь же́нщину, кото́рая была́ бы верна́ и постоя́нна?

Попо́ва. Так кто́ же, по ва́шему, ве́рен и постоя́нен в любви́? Мужчи́на?

Смирно́в. Да-с, мужчи́на.

Попо́ва. Мужчи́на! (*злой смех*) Мужчи́на ве́рен и постоя́нен в любви́! Да како́е вы име́ете пра́во говори́ть э́то? Мужчи́ны ве́рны и постоя́нны! Если вы так говори́те, так я вам скажу́, что из всех мужчи́н, каки́х я зна́ла и зна́ю, са́мым лу́чшим был мой муж. . . . Я люби́ла его́ стра́стно, как мо́жет люби́ть то́лько молода́я, ве́рная жена́; я отдала́ ему́ свою́ мо́лодость, сча́стье, жизнь, и . . . и что́ же? Этот лу́чший из мужчи́н обма́нывал меня́ на ка́ждом шагу́! По́сле его́ сме́рти я нашла́ в его́ столе́ по́лный я́щик любо́вных пи́сем, а при жи́зни он оставля́л меня́ по це́лым неде́лям, на мои́х глаза́х уха́живал за други́ми же́нщинами. . . . И, несмотря́ на всё э́то, я люби́ла его́ и была́ ему́ верна́. . . . Он у́мер, а я всё ещё верна́ ему́. Я погребла́ себя́ в четырёх сте́нах и до са́мой моги́лы не сниму́ э́того тра́ура . . .

Смирно́в (*со сме́хом*). Тра́ур! . . . Я зна́ю для чего́ вы но́сите э́то чёрное пла́тье и погребли́ себя́ в четырёх сте́нах! Это так поэти́чно! Прое́дет ми́мо уса́дьбы како́й-нибу́дь офице́р или поэ́т, посмо́трит на окно́ и поду́мает: "Здесь живёт Тама́ра,[1] кото́рая из любви́ к му́жу погребла́ себя́ в четырёх сте́нах".

Попо́ва (*серди́то*). Что? Как вы сме́ете говори́ть всё э́то?

Смирно́в. Вы погребли́ себя́, одна́ко не забы́ли напу́дриться!

Попо́ва. Как вы сме́ете со мно́ю так говори́ть?

Смирно́в. Не кричи́те, пожа́луйста!

Попо́ва. Не я кричу́, а вы кричи́те! Оста́вьте меня́, пожа́луйста, в поко́е!

Смирно́в. Заплати́те мне де́ньги, и я уе́ду.

Попо́ва. Не дам я вам де́нег!

Смирно́в. Нет-с, дади́те!

Попо́ва. Ни копе́йки не полу́чите! Мо́жете оста́вить меня́ в поко́е!

Смирно́в. Я вам не муж и не жени́х, а потому́, пожа́луйста, не де́лайте мне сцен (*сади́тся*). Я э́того не люблю́.

Попо́ва (*задыха́ясь от гне́ва*). Вы се́ли?

Смирно́в. Сел.

[1] A character from Lermontov's poem, "The Demon."

Попо́ва. Прошу́ вас уйти́!

Смирно́в. Отда́йте де́ньги . . . (*в сто́рону*). Ах, как я зол!

Попо́ва. Вы не уйдёте? Нет?

Смирно́в. Нет.

Попо́ва. Нет?

Смирно́в. Нет!

Попо́ва. Хорошо́ же! (*звони́т*)

Те же и **Лука́**

Попо́ва. Лука́, вы́веди э́того господи́на!

Лука́ (*подхо́дит к* **Смирно́ву**). Уходи́те когда́ веля́т! . . .

Смирно́в (*вска́кивая*). Молча́ть! С кем ты разгова́риваешь? Я из тебя́ сала́т сде́лаю!

Лука́ (*па́дает в кре́сло*). Ох, ду́рно, ду́рно!

Попо́ва. Где Да́ша? Да́ша! (*крича́т*) Да́ша! Пелаге́я! Да́ша! (*зво́нит*)

Лука́. Ох! Все по я́годы ушли́. . . . Никого́ до́ма нет . . . Ду́рно! Воды́!

Попо́ва. Убира́йтесь вон!

Смирно́в. Прошу́ быть повéжливее!

Попо́ва (*то́пая нога́ми*). Вы мужи́к! Гру́бый медве́дь! Монстр!

Смирно́в. Как? Что вы сказа́ли?

Попо́ва. Я сказа́ла, что вы медве́дь, монстр!

Смирно́в (*наступа́я*). Како́е пра́во вы име́ете оскорбля́ть меня́?

Попо́ва. Да, оскорбля́ю . . . ну так что́ же? Вы ду́маете, я вас бою́сь?

Смирно́в. А вы ду́маете, что е́сли вы же́нщина, то име́ете пра́во оскорбля́ть безнака́занно? Да? К барье́ру!

Лука́. Го́споди! . . . Ду́рно! . . . Воды́!

Смирно́в. Стреля́ться!

Попо́ва. Если вы гро́мко кричи́те, то ду́маете, я вас бою́сь? А? Медве́дь!

Смирно́в. К барье́ру! Я никому́ не позво́лю оскорбля́ть себя́ и не посмотрю́ на то, что вы же́нщина!

Попо́ва (*кричи́т*). Медве́дь! Медве́дь! Медве́дь!

Смирно́в. Пора́ забы́ть предрассу́док, что то́лько одни́ мужчи́ны должны́ плати́ть за оскорбле́ния! Равнопра́вие, так равнопра́вие! К барье́ру!

Попо́ва. Стреля́ться хоти́те? Хорошо́!

Смирно́в. Сию́ мину́ту!

Попо́ва. Сию́ мину́ту! По́сле му́жа оста́лись револьве́ры. . . . Я сейча́с принесу́ их сюда́ . . . (*торопли́во идёт и возвраща́ется*). С каки́м удово́льствием я всажу́ пу́лю в ваш ме́дный лоб! (*ухо́дит*)

Смирно́в. Я подстрелю́ её как цыплёнка!

Лука́ (*стано́вится на коле́ни*). Сде́лай ми́лость, пожале́й меня́, старика́, уйди́ отсю́да!

Смирно́в (*не слу́шая его́*). Стреля́ться, вот э́то есть равнопра́вие, эмансипа́ция! Подстрелю́ её из при́нципа! . . . Но кака́я же́нщина! "Всажу́ пу́лю в ваш ме́дный лоб". . . . Раскрасне́лась, глаза́ блестя́т. . . . Вы́зов при́няла! Пе́рвый раз в жи́зни ви́жу таку́ю!

Лука́. Уйди́, пожа́луйста! . . .

Смирно́в. Это — же́нщина! Вот э́то я понима́ю! Настоя́щая же́нщина! Ого́нь, по́рох! Да́же убива́ть жа́лко!

Лука́ (*пла́чет*). Пожа́луйста, уйди́!

Смирно́в. Она́ мне положи́тельно нра́вится! Положи́тельно! Хоть и я́мочки на щека́х, а нра́вится! Гото́в да́же долг ей прости́ть. . . . И злость прошла́ . . . Удиви́тельная же́нщина!

Те же и **Попо́ва**

Попо́ва (*вхо́дит с револьве́рами*). Вот они́ револьве́ры. . . . Но вы мне пре́жде покажи́те, пожа́луйста, как ну́жно стреля́ть. . . . Я никогда́ в жи́зни не держа́ла в рука́х револьве́ра.

Лука́. Спаси́, Го́споди, и поми́луй. . . . Пойду́ садо́вника и ку́чера поищу́. . . . (*ухо́дит*)

Смирно́в (*осма́тривает револьве́ры*). У вас револьве́ры систе́мы Смит и Вессон. Держа́ть револьве́р ну́жно так . . . (*в сто́рону*) Глаза́, глаза́!

Попо́ва. Так?

Смирно́в. Да, так. . . . Зате́м вы поднима́ете куро́к. . . . Го́лову немно́жко наза́д! Вы́тяните ру́ку. . . . Вот та́к. . . . Пото́м вот э́тим па́льцем нада́вливаете здесь — и бо́льше ничего́ . . .

Попо́ва. Хорошо́. . . . В ко́мнатах стреля́ться неудо́бно, пойдёмте в сад.

Смирно́в. Пойдёмте. То́лько зна́йте, я вы́стрелю в во́здух.

Попо́ва. Почему́?

Смирно́в. Потому́ что . . . потому́ что. . . . Это моё де́ло, почему́!

Попо́ва. Вы испуга́лись? Да? А—а—а—а! Нет, вы иди́те за мно́й, пожа́луйста! Испуга́лись?

Смирно́в. Да, испуга́лся.

Попо́ва. Непра́вда! Почему́ вы не хоти́те стреля́ть?

Смирно́в. Потому́ что . . . потому́ что вы . . . мне нра́витесь.

Попо́ва (*зло́й смех*). Я ему́ нра́влюсь! Он сме́ет

говори́ть, что я ему́ нра́влюсь! (*ука́зывает на дверь*) Иди́те.

Смирно́в (*кладёт револьве́р, берёт шля́пу и идёт; о́коло две́ри остана́вливается, мину́ту о́ба мо́лча смо́трят друг на дру́га; зате́м он говори́т, нереши́тельно подходя́ к* **Попо́вой**). Послу́шайте. . . . Вы всё ещё се́рдитесь? . . . Я то́же о́чень зол, но понима́ете-ли. . . . Ви́дите-ли . . . така́я исто́рия . . . (*кричи́т*). Ну, да ра́зве я винова́т, что вы мне нра́витесь? Вы мне нра́витесь! Понима́ете? Я . . . почти́ влюблён!

Попо́ва. Отойди́те от меня́, — я вас ненави́жу!

Смирно́в. Бо́же, кака́я же́нщина! Никогда́ в жи́зни не вида́л ничего́ подо́бного!

Попо́ва. Отойди́те, а то бу́ду стреля́ть!

Смирно́в. Стреля́йте! Вы не мо́жете поня́ть, како́е сча́стье умере́ть под взгля́дом э́тих глаз, умере́ть от револьве́ра, кото́рый де́ржит э́та ма́ленькая ру́чка. . . . Ду́майте и реша́йте сейча́с, потому́ что е́сли я вы́йду отсю́да, то мы бо́льше никогда́ не уви́димся! Реша́йте. . . . Я дворяни́н, име́ю де́сять ты́сяч годово́го дохо́да . . . име́ю отли́чных лошаде́й. . . . Хоти́те быть мое́й жено́й?

Попо́ва. Стреля́ться! К барье́ру!

Смирно́в (*кричи́т*). Челове́к, воды́!

Попо́ва (*кричи́т*). К барье́ру!

Смирно́в. Влюби́лся как мальчи́шка, как дура́к! (*хвата́ет её за́ руку*) Я вас люблю́ (*стано́вится на коле́ни*) Люблю́, как никогда́ не люби́л! Двена́дцать же́нщин я бро́сил, де́вять бро́сили меня́, но ни одну́ я не люби́л так, как вас. . . . Стою́ на коле́нях, как дура́к! . . . Да́ или не́т? Не хоти́те? Не ну́жно! (*встаёт и бы́стро идёт к две́ри*)

Попо́ва. Посто́йте . . .

Смирно́в (*остана́вливается*). Ну?

Попо́ва. Ничего́, уходи́те . . . Нет, посто́йте . . . Нет, уходи́те, уходи́те! Я вас ненави́жу! Или нет . . . Не уходи́те! Ах, е́сли бы вы зна́ли, как я зла, как я зла! (*броса́ет на стол револьве́р; рвёт от зло́сти плато́к*) Что вы стойте? Уходи́те!

Смирно́в. Проща́йте.

Попо́ва. Да, да, уходи́те! . . . (*кричи́т*) Куда́ вы идёте? Посто́йте! . . . Ах, как я зла! Не подходи́те, не подходи́те!

Смирно́в (*подходя́ к ней*). Как я на себя́ зол! Влюби́лся, как гимнази́ст, стоя́л на коле́нях . . . (*гру́бо*) Я люблю́ вас! Очень мне ну́жно бы́ло влюбля́ться в вас! За́втра проце́нты плати́ть, а тут вы́ . . . (*берёт её за та́лию*). Никогда́ э́того не прощу́ себе́ . . .

Попо́ва. Отойди́те прочь! Прочь ру́ки! Я вас . . . ненави́жу! К барье́ру! (*продолжи́тельный поцелу́й*)

Те же, **Лука́** *с топоро́м, садо́вник с гра́блями, ку́чер и рабо́чие с па́лками*

Лука́ (*уви́дев целу́ющуюся па́рочку*). Го́споди! (*па́уза*)

Попо́ва (*опусти́в глаза́*). Лука́, скажи́ чтоб сего́дня То́би овса́ не дава́ли.

За́навес

ПОЭ́ЗИЯ И ПЕ́СНИ

Пти́чка бо́жия не зна́ет

(Отры́вок из "Цыга́ны")

Пти́чка бо́жия не зна́ет
Ни забо́ты, ни труда́;
Хлопотли́во не свива́ет
Долгове́чного гнезда́.
В до́лгу ночь на ве́тке дре́млет;
Со́лнце кра́сное взойдёт,
Пти́чка гла́су[1] Бо́га вне́млет,
Встрепенётся и поёт.
За весно́й, красо́й приро́ды,
Ле́то зно́йное пройдёт,
И тума́н, и непого́ды
Осень по́здняя несёт.
Лю́дям ску́чно, лю́дям го́ре;
Пти́чка в да́льние страны́,
В тёплый край, за си́не мо́ре
Улета́ет до весны́.

Пу́шкин[2]

Зи́мняя доро́га

Сквозь волни́стые тума́ны
Пробира́ется луна́,
На печа́льные поля́ны
Льёт печа́льно свет она́.
По доро́ге зи́мней, ску́чной

[1] Old word for го́лос.
[2] See page 49.

Тро́йка бо́рзая бежи́т.
Колоко́льчик однозву́чный
Утоми́тельно греми́т.
Что́-то слы́шится родно́е
В до́лгих пе́снях ямщика́:
То разгу́лье удало́е,
То серде́чная тоска́...
Ни огня́, ни чёрной ха́ты...
Глушь и снег... Навстре́чу мне
То́лько вёрсты полоса́ты
Попада́ются одне́.[1]

Пу́шкин

Па́рус

Беле́ет па́рус одино́кий
В тума́не мо́ря голубо́м.
Что и́щет он в стране́ далёкой?
Что ки́нул он в краю́ родно́м?
Игра́ют во́лны, ве́тер сви́щет,
И ма́чта гнётся и скрипи́т....
Увы́! Он сча́стия не и́щет
И не от сча́стья он бежи́т!
Под ним струя́ светле́й лазу́ри,
Над ним луч со́лнца золото́й,
А он, мятё́жный, про́сит бу́ри,
Как бу́дто в бу́ре есть поко́й!

Ле́рмонтов[2]

А́нгел

По не́бу полу́ночи а́нгел лете́л
И ти́хую пе́сню он пел.

[1] Old spelling of одни́ (see оди́н).
[2] See page 50.

И ме́сяц, и звёзды, и ту́чи толпо́й
Внима́ли той пе́сне свято́й.
Он ду́шу младу́ю[1] в объя́тиях нёс
Для ми́ра печа́ли и слёз,
И звук его пе́сни в душе́ молодо́й
Оста́лся без слов, но живо́й.
И до́лго на све́те томи́лась она́,
Жела́нием чу́дным полна́,
И зву́ков небе́с замени́ть не могли́
Ей ску́чные пе́сни земли́.

Ле́рмонтов

Го́рные верши́ны

Го́рные верши́ны
Спят во тьме́ ночно́й;
Ти́хие доли́ны
По́лны све́жей мглой;
Не пыли́т доро́га,
Не дрожа́т листы́. . . .
Подожди́ немно́го,
Отдохнёшь и ты.

Ле́рмонтов (по Ге́те)

Каза́чья колыбе́льная пе́сня

Спи, младе́нец мой прекра́сный,
Ба́юшки — баю́.
Ти́хо смо́трит ме́сяц я́сный
В колыбе́ль твою́.
Ста́ну ска́зывать я ска́зки,
Пе́сенку спою́;

[1] For молоду́ю.

Ты-ж дремли́, закры́вши гла́зки,
Ба́юшки — баю́.

Сам узна́ешь, бу́дет вре́мя,
Бра́нное житьё;
Сме́ло вде́нешь но́гу в стре́мя
И возьмёшь ружьё.

Богаты́рь ты бу́дешь с ви́ду
И каза́к душо́й.
Провожа́ть тебя́ я вы́йду,
Ты махнёшь руко́й....
Ско́лько го́рьких слёз укра́дкой
Я в ту ночь пролью́!...
Спи, мой а́нгел, ти́хо, сла́дко,
Ба́юшки — баю́.

Ста́ну я тоско́й томи́ться,
Безуте́шно ждать;
Ста́ну це́лый день моли́ться,
По ноча́м гадать;
Ста́ну ду́мать, что скуча́ешь
Ты в чужо́м краю́....
Спи-ж, пока́ забо́т не зна́ешь,
Ба́юшки — баю́.

Дам тебе́ я на доро́гу
Образо́к свято́й:
Ты его́, моля́ся Бо́гу,
Ставь пе́ред собо́й;
Да, гото́вясь в бой опа́сный,
По́мни мать свою́....
Спи, младе́нец мой прекра́сный,
Ба́юшки — баю́.

Ле́рмонтов

Утёс

Ночева́ла ту́чка золота́я
На груди́ утёса велика́на;
Утром в путь она́ умча́лась ра́но,
По лазу́ри ве́село игра́я.
Но оста́лся вла́жный след в морщи́не
Ста́рого утёса. Одино́ко
Он стои́т; заду́мался глубо́ко,
И тихо́нько пла́чет он в пусты́не. . . .

Ле́рмонтов

Внима́я у́жасам[1] войны́

Внима́я у́жасам войны́,
При ка́ждой но́вой же́ртве бо́я
Мне жаль не дру́га, не жены́,
Мне жаль не самого́ геро́я. . . .
Увы́! Уте́шится жена́,
И дру́га лу́чший друг забу́дет;
Но где́-то есть душа́ одна́ —
Она́ до гро́ба по́мнить бу́дет!
Средь лицеме́рных на́ших дел
И вся́кой по́шлости и про́зы
Одни́ я в ми́ре подсмотре́л
Святы́е, и́скренние слёзы:
То слёзы бе́дных матере́й!
Им не забы́ть[2] свои́х дете́й,
Поги́бших на крова́вой ни́ве,
Как не подня́ть плаку́чей и́ве
Свои́х пони́кнувших ветве́й . . .

Некра́сов[3]

[1] Внима́ть calls for the dative case.
[2] Idiomatic expression for "it will be impossible for them to forget."
[3] See page 58.

Катю́ша

Сл. М. Исако́вского, муз. М. Бла́нтер

Расцвета́ли я́блони и гру́ши,
Поплыли́ тума́ны над реко́й.
Выходи́ла на́ берег Катю́ша, } два ра́за
На высо́кий на́ берег круто́й. }

Выходи́ла, пе́сню заводи́ла
Про степно́го си́зого орла́:
Про того́, кото́рого люби́ла, } два ра́за
Про того́, чьи пи́сьма берегла́. }

Ой, ты, пе́сня, пе́сенка деви́чья,
Ты лети́ за я́сным со́лнцем вслед,
И бойцу́ на да́льнем пограни́чьи } два ра́за
От Катю́ши переда́й приве́т.

Пусть он вспо́мнит де́вушку просту́ю,
И услы́шит, как она́ поёт;
Пусть он зе́млю бережёт родну́ю, } два ра́за
А любо́вь Катю́ша сбережёт.

Расцвета́ли я́блони и гру́ши,
Поплыли́ тума́ны над реко́й.
Выходи́ла на́ берег Катю́ша, } два ра́за
На высо́кий на́ берег круто́й.

Вече́рний звон

Сл. И. Козло́ва, по Томас Мур

Вече́рний звон, вече́рний звон!
Как мно́го дум наво́дит он
О ю́ных днях в краю́ родно́м,
Где я люби́л, где о́тчий дом,
И как я, с ним наве́к простя́сь,
Там слы́шал звон в после́дний раз.

Мете́лица

Ру́сская наро́дная пе́сня

Вдоль по у́лице мете́лица метёт,
За мете́лицей мой ми́ленький идёт.

Ты посто́й, посто́й, краса́вица моя́!
Дозво́ль нагляде́ться, ра́дость, на тебя́! } два ра́за

На твою́-ли на прия́тну красоту́,
На твоё-ли да на бе́лое лицо́.

Ты посто́й, посто́й, краса́вица моя́!
Дозво́ль нагляде́ться, ра́дость, на тебя́! } два ра́за

Красота́ твоя́ с ума́ меня́ свела́,
Сокруши́ла до́бра мо́лодца меня́.

Ты посто́й, посто́й, краса́вица моя́!
Дозво́ль нагляде́ться, ра́дость, на тебя́! } два ра́за

Одино́кая гармо́нь

Одино́кая гармо́нь

Сно́ва за́мерло[1] всё до рассве́та;
Дверь не скри́пнет, не вспы́хнет ого́нь,
То́лько слы́шно на у́лице где́-то
Одино́кая бро́дит гармо́нь.

То пойдёт на поля́ за воро́та,
То обра́тно вернётся опя́ть,
Сло́вно и́щет в потёмках кого́-то
И не мо́жет ника́к отыска́ть.

Ве́ет с по́ля ночна́я прохла́да,
С я́блонь цвет облета́ет густо́й.
Ты призна́йся, кого́ тебе на́до[2]
И скажи́, гармони́ст молодо́й.

Мо́жет, ра́дость твоя́ недалёка,
Да не зна́ю, её-ли ты ждёшь.
Что ж ты бро́дишь всю ночь одино́ко,
Что ж ты де́вушкам спать не даёшь?[3]

[1] Fell quiet.
[2] Whom are you after?
[3] Why don't you let the girls sleep?

Сиби́рский ве́чер

Сиби́рский ве́чер

Тайга́[1] загляде́лась в око́шко;
Мете́ль шелести́т на стене́.
В тайге́ у Байка́ла гармо́шка
Поёт о степно́й стороне́.

И чу́дится де́вушками в ха́те
Не ночь, не снега́ у окна́:
Просто́рная степь на зака́те
И ти́хого До́на волна́.

И сам гармони́ст забыва́ет,
Что по́зднее вре́мя ко сну́[2],
И сам гармони́ст вспомина́ет
Москву́ и каза́чку одну́.

Под сво́дами све́тлого за́ла,
Где встре́ча геро́ев была́,
Каза́чка[3] два сло́ва сказа́ла
И се́рдце с собо́й увезла́.[4]

Тайга́ загляде́лась в око́шко;
Мете́ль шелести́т на стене́.
В тайге́ у Байка́ла гармо́шка
Поёт о степно́й стороне́.

[1] Taiga. Vast Siberian forests.
[2] High time for bed.
[3] Fem. of каза́к.
[4] Past of увезти́.

Размечта́лся солда́т молодо́й

Размечта́лся[1] солда́т молодо́й.

Ветеро́к пролете́л над доли́ною
Зашепта́лся[2] с лесно́ю[3] траво́й.
Ти́хо слу́шая песнь соловьи́ную,[4]
Размечта́лся солда́т молодо́й.

Ой ты, ве́тер, поко́я не зна́ющий,
Мчись туда́, где меня́ теперь не́т;
Ты подру́жке, весну́ вспомина́ющей,
Переда́й мой солда́тский приве́т.

Ой вы, ма́йские но́чки прекра́сные,
Соловьи́ные пе́сни в саду́!
Ой вы, о́чи лучи́стые, я́сные,
Лу́чше вас не найду́![5]

1 See мечта́ть.
2 See шепта́ть.
3 Adj. of лес.
4 Adj. of солове́й (nightingale).
5 Fut. of найти́.

УПРАЖНЕ́НИЯ

Оши́бка

I. *Прочита́йте (и́ли перепиши́те) сле́дующий текст, доба́вив недостаю́щие слова́ (Read or copy the following text, supplying the missing words):*

"Пе́тя, ско́лько раз я — тебе́ не брать ничего́ —. Ты уже́ большо́й —, сты́дно. На́до — ви́лкой.

—Но, ма́ма, — не всегда́ е́ли ви́лками. Па́льцы бы́ли — —, когда́ ви́лок ещё — —.

—Да, но не твой."

II. *Дикто́вка.*

Лю́ди не всегда́ е́ли ви́лками. Но Пе́тя уже́ большо́й ма́льчик. Не на́до ничего́ брать па́льцами. На́до есть ви́лкой.

III. *Разыгра́йте э́ту сце́ну.*

Оди́н учени́к бу́дет игра́ть роль Пе́ти, друго́й — роль его́ ма́мы.[1]

Кто прав?

I. *Прочита́йте (и́ли перепиши́те), доба́вив недоста́ющие слова́:*

Ва́ня люби́л по́здно —. "Сты́дно, Ва́ня, так по́здно —," сказа́л ему́ одна́жды оте́ц, и что́бы дать сы́ну —, он рассказа́л ему́ про —, кото́рый шёл ра́но — — и нашёл — де́нег.

"Но, па́па, тот кто — э́ти —, встал ещё ра́ньше."

[1] Enact this scene. One student will play the part of Petya, another – the part of his mother.

II. *Дикто́вка.*

Челове́к шёл по у́лице. Он нашёл мно́го де́нег. Ва́ня люби́л по́здно спать. Ва́ня не нашёл де́нег. Оте́ц сказа́л: "Сты́дно так по́здно спать."

III. *Отве́тьте на вопро́сы (Answer, in complete sentences, the following questions):*

1. Что Ва́ня люби́л?
2. Что сказа́л оте́ц?
3. Кто шёл по у́лице?
4. Когда́ он шёл?
5. Что он нашёл?
6. Кто э́то рассказа́л Ва́не?
7. Для чего́ он ему́ э́то рассказа́л?

На пожа́ре

I. *Прочита́йте (и́ли перепиши́те), доба́вив недостаю́щие слова́:*

1. Оди́н раз загоре́лся —.
2. В до́ме оста́лась ма́ленькая —.
3. Соба́ка — в зуба́х де́вочку.
4. Мать — от ра́дости.
5. Соба́ка опя́ть — в дом.
6. Она́ несла́ в зуба́х большу́ю —.

II. *Дикто́вка.*

1. Прие́хали пожа́рные.
2. К ним вы́бежала же́нщина.
3. Пожа́рные посла́ли соба́ку.
4. Мать бро́силась к до́чери.
5. Она́ пла́кала от ра́дости.
6. Соба́ка несла́ в зуба́х ку́клу.

III. *Вопро́сы.*

1. Кто вы́бежал к пожа́рным?
2. Что де́лала же́нщина?
3. Что она́ говори́ла?
4. Кого́ пожа́рные посла́ли?
5. Когда́ соба́ка вы́бежала и́з дому?
6. Что она́ несла́?
7. Как она́ несла́ её?
8. Что сде́лала мать?
9. Что сде́лала тогда́ соба́ка?
10. Что она́ несла́ в зуба́х?

Аппети́т

I. *Прочита́йте (и́ли перепиши́те), доба́вив недоста́ющие слова́:*

1. Ве́ра — : "Како́й невку́сный суп!"
2. По́сле — Ве́ра пошла́ в по́ле.
3. Мать поста́вила на — суп.
4. Ве́ра — с аппети́том.
5. "Како́й вку́сный суп!" — она́.
6. Это тот са́мый суп, что — за обе́дом.
7. Тепе́рь он вку́сный, потому́ что Ве́ра — .

II. *Дикто́вка.*

Ве́ра сказа́ла, что суп невку́сный. Она́ положи́ла ло́жку на стол. Ве́ра пошла́ копа́ть карто́фель. Она́ мно́го рабо́тала. Она́ сказа́ла, что суп вку́сный.

III. *Вопро́сы.*

1. Что сказа́ла Ве́ра за обе́дом?
2. Куда́ она́ положи́ла ло́жку?
3. Куда́ Ве́ра пошла́ по́сле обе́да?
4. Заче́м она́ туда́ пошла́?

5. Что мать поста́вила на стол?
6. Что Ве́ра сказа́ла?
7. Почему́ суп тепе́рь вку́сный?

Не в деньга́х сча́стье

I. *Прочита́йте (и́ли перепиши́те), доба́вив недо-стаю́щие слова́:*

В одно́м до́ме — два челове́ка: — и —. — мно́го — и за рабо́той —. Когда́ — пел, — не мог —. Он дал бе́дному мно́го —, чтоб он не пел. Бе́дный — петь. И ему́ ста́ло —. Он пошёл к бога́тому и — : "Возьми́ — наза́д, а мне позво́ль —. Лу́чше жить —, да —."

II. *Дикто́вка.*

В до́ме жи́ли два челове́ка: оди́н бе́дный, друго́й бога́тый. Бе́дный мно́го рабо́тал и мно́го пел. Бога́тый не рабо́тал и не пел. Ему́ бы́ло ску́чно, и он не мог спать. Лу́чше жить бе́дно, да ве́село.

III. *Вопро́сы.*

1. Где жи́ли э́ти два челове́ка?
2. Они́ бы́ли бога́тые и́ли бе́дные?
3. Кто мно́го рабо́тал?
4. Что он де́лал, когда́ рабо́тал?
5. Что бога́тый дал бе́дному?
6. Для чего́ (what for) он их дал?
7. Что бе́дный переста́л де́лать?
8. Тепе́рь ему́ бы́ло ве́село или ску́чно?
9. Как лу́чше жить: бога́то, да ску́чно, или бе́дно, да ве́село?

Бесцеремо́нный гость

I. *Прочита́йте (и́ли перепиши́те), доба́вив недоста́ющие слова́:*

Никола́й Фёдоров живёт в —. К нему́ прие́хал из — —. Он прие́хал на не́сколько —.

Прохо́дит неде́ля, друга́я, но гость ничего́ не — о возвраще́нии —.

"Ва́ша жена́ и —, веро́ятно, — без вас."

"Да, веро́ятно. Я хочу́ — им, чтоб они́ — —."

II. *Дикто́вка.*

Никола́й живёт в Москве́. К нему́ прие́хал гость. Прохо́дит не́сколько дней, неде́ля. Его́ жена́ и де́ти скуча́ют. Он им написа́л, чтоб они́ прие́хали в Москву́.

III. *Вопро́сы.*

1. Где живёт Никола́й?
2. Кто прие́хал к нему́?
3. На ско́лько дней он прие́хал?
4. Что гость говори́т о возвраще́нии домо́й?
5. Что говори́т ему́ Никола́й?
6. Что отвеча́ет гость?

Два го́стя

I. *Дикто́вка.*

У америка́нца обе́дали го́сти. Молодо́й челове́к уви́дел на столе́ горчи́цу. Он положи́л ло́жку горчи́цы в рот. Стари́к сиде́л ря́дом с ним. Он спроси́л, о чём молодо́й пла́чет. Молодо́й челове́к вспо́мнил отца́. Стари́к сказа́л, что он пла́чет о том, что молодо́й не у́мер вме́сте с отцо́м.

II. *Вопро́сы.*

1. Где обе́дали го́сти?
2. Кто уви́дел горчи́цу?
3. Где он её уви́дел?
4. Что он сде́лал?
5. Кто сиде́л ря́дом с ним?
6. Что он спроси́л?
7. Что отве́тил молодо́й челове́к?
8. Кто пото́м уви́дел горчи́цу?
9. Что спроси́л молодо́й челове́к?
10. Что отве́тил стари́к?

III. *Пра́вильно и́ли непра́вильно?*[1]

1. Го́сти обе́дали у бе́дного ру́сского.
2. Молодо́й челове́к уви́дел горчи́цу.
3. Он попро́бовал горчи́цу.
4. Он засмея́лся.
5. Он сказа́л, что вспо́мнил отца́.
6. Оте́ц его́ у́мер.
7. Он у́мер давно́.
8. Стари́к попро́бовал горчи́цу.
9. Молодо́й челове́к спроси́л: "О чём вы пла́чете?"
10. "О том, что твой оте́ц у́мер"— отве́тил стари́к.

---

[1] Note for the teacher. — This kind of exercise can be used in two ways, according to the state of progress of the students:

(a) The teacher reads (or says) the sentence, and, if the statement is true, the student answers simply: "Да, пра́вильно"; if it is not, the student says: "Нет, э́то непра́вильно."

(b) The teacher reads (or says) the sentence. If what he says is true, the student answers: "Да, пра́вильно," and repeats the statement; if not, the student says: "Нет, э́то непра́вильно" and gives the true statement. For example:

Teacher: "Го́сти обе́дали у бе́дного ру́сского."

Student: "Нет, э́то непра́вильно. Го́сти обе́дали у бога́того америка́нца."

Уро́к ве́жливости

I. *Прочита́йте (и́ли перепиши́те), доба́вив недоста́ющие слова́:*

Никола́й Петро́в — с сы́ном в па́рке. Они́ — Степа́нова, и Степа́нов дал — кусо́чек шокола́ду.

"Что на́до —, Ко́ля?" — оте́ц ма́льчику.

"У меня́ есть ещё два —", и ма́льчик протя́гивает Степа́нову —.

II. *Дикто́вка.*

Петро́в гуля́л в па́рке. Он гуля́л с сы́ном. Степа́нов дал ма́льчику кусо́чек шокола́ду. "У меня́ есть ещё два бра́та"— сказа́л ма́льчик.

III. *Вопро́сы.*

1. Кто гуля́л в па́рке?
2. Кого́ они́ там встре́тили?
3. Что Степа́нов дал ма́льчику?
4. Что оте́ц сказа́л сы́ну?
5. Что ма́льчик сказа́л?

Хоро́ший муж

I. *Прочита́йте (и́ли перепиши́те), доба́вив недоста́ющие слова́:*

Ивано́в вхо́дит с — в — и говори́т: "Да́йте нам, —, хоро́ший обе́д. Мы мно́го гуля́ли, и мы о́чень —."

"Хоро́ший обе́д? Не могу́," отвеча́ет — рестора́на. "Тепе́рь —, и у нас есть всего́ — котле́та."

"— котле́та! — —! Что́ же бу́дет есть моя́ — ?"

II. *Вопро́сы.*

1. Куда́ вхо́дит Ивано́в с жено́й?
2. Почему́ они́ о́чень голо́дны?

3. Что Ивано́в говори́т хозя́ину рестора́на?
4. Что отвеча́ет хозя́ин рестора́на?
5. Что говори́т Ивано́в?

III. *Разыгра́йте э́тот анекдо́т.*

Два дру́га

I. *Дикто́вка.*

"Степа́н, ты меня́ зна́ешь уже́ де́сять лет, пра́вда?
— Да, мой друг, пра́вда.
— Ты меня́ хорошо́ зна́ешь, пра́вда?
— Да, о́чень хорошо́.
— Одолжи́ мне, пожа́луйста, сто рубле́й.
— Не могу́, мой друг, не могу́!
— Но почему́?
— Потому́ что я тебя́ хорошо́ зна́ю."

II. *Разыгра́йте э́тот анекдо́т.*

Обману́л

I. *Вопро́сы.*

1. Что учени́к говори́т учи́телю?
2. Что де́лает учи́тель?
3. Почему́ Ко́ля Степа́нов не мо́жет притти́ в класс?
4. Что сказа́л ему́ до́ктор?
5. Что спра́шивает учи́тель?
6. Что отвеча́ет Ко́ля?

II. *Прочита́йте (и́ли перепиши́те), доба́вив недоста́ющие слова́:*

1. Вас — к телефо́ну.
2. Ко́ля Степа́нов не мо́жет — в класс.
3. До́ктор сказа́л ему́ — в посте́ли.
4. Кто у —?

Sovfoto

Москва́. Садо́вая-Черногря́зская у́лица

III. *Дикто́вка.*

1. Учи́тель идёт к телефо́ну.
2. Ко́ля Степа́нов бо́лен.
3. Он не мо́жет притти́ в класс.
4. До́ктор сказа́л ему́ лежа́ть в посте́ли.
5. Па́па Ко́ли Степа́нова у телефо́на.

Скворе́ц

I. *Прочита́йте (и́ли перепиши́те), доба́вив недостаю́щие слова́:*

1. У одного́ — — был скворе́ц.
2. Стари́к — его́ сказа́ть — слов по-ру́сски.
3. У старика́ был —.
4. Ко́ле о́чень — скворе́ц.
5. Он ча́сто — к сапо́жнику.
6. Старика́ — — до́ма.
7. Ко́ля бы́стро — пти́чку.
8. Он — её в —.
9. Он хоте́л —.
10. Но вошёл — скворца́.
11. Он гро́мко —.
12. Скворе́ц отве́тил из — ма́льчика.

II. *Вопро́сы.*

1. У кого́ был скворе́ц?
2. Что спра́шивал сапо́жник, когда́ он входи́л в дом?
3. Что отвеча́л скворе́ц?
4. Кто был сосе́д старика́?
5. Почему́ Ко́ля ча́сто приходи́л к сапо́жнику?
6. Что он хоте́л име́ть?
7. Что сде́лал Ко́ля, когда́ старика́ не́ было до́ма?

8. Что он хоте́л сде́лать?
9. Кто вошёл в э́то вре́мя
10. Что он кри́кнул?
11. Как он э́то кри́кнул?
12. Что отве́тил скворе́ц?
13. Отку́да он отве́тил?

III. *Дикто́вка.*

1. У сапо́жника был скворе́ц.
2. Стари́к люби́л пти́чку.
3. Он научи́л её сказа́ть не́сколько слов по-ру́сски.
4. Сапо́жник входи́л в дом и спра́шивал: "Где ты, скво́рушка?"
5. Пти́чка отвеча́ла: "Я здесь, де́душка!"
6. У старика́ был ма́ленький сосе́д.
7. Ко́ле о́чень нра́вился скво́рец.
8. Он ча́сто приходи́л к сапо́жнику.
9. Он хоте́л послу́шать, как пти́чка говори́т.
10. Он хоте́л име́ть скворца́.
11. Ко́ля спря́тал пти́чку в карма́н.
12. Хозя́ин скворца́ вошёл и спроси́л: "Где ты, скво́рушка?"

Со́кол и пету́х

I. *Прочита́йте (и́ли перепиши́те), доба́вив недостаю́щие слова́:*

1. Со́кол люби́л своего́ —.
2. Когда́ хозя́ин его́ —, он к нему́ —.
3. Пету́х — от хозя́ина.
4. Со́кол говори́т, что — неблагода́рные.

5. Они то́лько — иду́т к хозя́ину, когда́ они́ —.
6. Со́кол — не ви́дел — со́кола.
7. Пету́х — ви́дит жа́реных —.

II. *Дикто́вка.*

Со́кол люби́л хозя́ина. Он прилета́л к нему́. Пету́х убега́л, когда́ хозя́ин хоте́л подойти́. Мы не убега́ем от люде́й. Мы всегда́ идём к ним. Мы по́мним, что они́ нас ко́рмят.

III. *Вопро́сы.*

1. Кого́ со́кол люби́л?
2. Что он де́лал, когда́ хозя́ин его́ звал?
3. Что де́лал пету́х, когда́ хозя́ин хоте́л подойти́ к нему́?
4. Почему́ со́колы не убега́ют от люде́й?
5. Почему́ петухи́ от них (from them) убега́ют?

До́брое се́рдце

I. *Прочита́йте (и́ли перепиши́те), доба́вив недоста́ющие слова́:*

Оди́н — уме́л сказа́ть "—" по —, по —, по — и по —. Что́бы привле́чь — люде́й, он пове́сил на вы́веску: "Этот — полигло́т."

Прохо́дят две —. Одна́ из ни́х — вы́веску и говори́т — : "Несча́стный! Вы — ? Он не — слепо́й, но — полигло́т!"

II. *Вопро́сы.*

1. Что слепо́й уме́л сказа́ть?
2. На каки́х языка́х (in what languages)?
3. Что он пове́сил на груди́?
4. Заче́м он пове́сил э́ту вы́веску?

5. Что бы́ло напи́сано (what was written) на вы́веске?
6. Кто прохо́дит?
7. Что одна́ же́нщина говори́т друго́й?

III. *Расскажи́те (relate) э́тот анекдо́т.*

Уро́к му́зыки

I. *Прочита́йте (и́ли перепиши́те), доба́вив недоста́ющие слова́:*

1. Ру́сский — Чайко́вский уви́дел одна́жды — — шарма́нщика.
2. Шарма́нщик пло́хо —.
3. Чайко́вский сказа́л ему́, — его́ му́зыка —; он игра́ет —.
4. Шарма́нщик — : "Это — — му́зыка."
5. Чайко́вский — : "Я э́то —, я сам э́ту му́зыку —."
6. Чайко́вский — к шарма́нке и сыгра́л а́рию.
7. Че́рез не́сколько — на шарма́нке висе́ла — : "— — — —."

II. *Дикто́вка.*

1. Шарма́нщик игра́л непра́вильно а́рию из о́перы Чайко́вского.
2. Когда́ Чайко́вский его́ уви́дел, он ему́ сказа́л, что его́ му́зыка ужа́сна.
3. Шарма́нщик отве́тил, что он ничего́ не понима́ет; что э́то о́чень хоро́шая му́зыка.
4. Тогда́ Чайко́вский сыгра́л а́рию, и сказа́л шарма́нщику, кто́ он.
5. Чайко́вский уви́дел шарма́нщика че́рез не́сколько дней.
6. На шарма́нке висе́ла вы́веска: "Учени́к вели́кого компози́тора Чайко́вского."

III. *Вопро́сы.*

1. Кого́ одна́жды уви́дел Чайко́вский?
2. Что парма́нщик игра́л?
3. Ка́к он игра́л?
4. Что Чайко́вский сказа́л ему́?
5. Что шарма́нщик отве́тил?
6. Почему́ Чайко́вский зна́ет э́ту му́зыку?
7. Что Чайко́вский сде́лал?
8. Когда́ Чайко́вский опя́ть встре́тил шарма́нщика?
9. Что он уви́дел?
10. Что бы́ло напи́сано на вы́веске?

Следы́

I. *Прочита́йте (и́ли перепиши́те), доба́вив недостаю́щие слова́:*

1. Оте́ц сказа́л —, чтоб он вбил в — гвоздь, когда́ он соверши́т — —, и чтоб вы́рвал из — гвоздь, — — соверши́т — —.
2. Ско́ро вся — была́ — гвоздя́ми.
3. Сы́ну ста́ло —, и он — испра́виться.
4. Ско́ро все — исче́зли.
5. Когда́ оте́ц э́то —, он сказа́л, что он о́чень —.
6. Но сын не́ был —, потому́ что гво́зди —, но их следы́ —.

II. *Вопро́сы.*

1. Когда́ на́до вбить в сте́ну гвоздь?
2. Когда́ на́до вы́рвать гвоздь из стены́?
3. Чем (with what) была́ покры́та стена́?
4. Что сын реши́л?
5. Почему́ оте́ц обра́довался?

6. Что он сказа́л?
7. Как сын посмотре́л на отца́?
8. Что он сказа́л?

Де́душка

I. *Прочита́йте (и́ли перепиши́те), доба́вив недостаю́щие слова́:*

1. Де́душка был —.
2. Он пло́хо — и —.
3. У него́ дрожа́ли —, и он — суп.
4. Его́ переста́ли сажа́ть — —.
5. Его́ сажа́ли — — и подава́ли ему́ суп в — —.
6. Старику́ бы́ло — —, но он — не сказа́л.
7. Внук старика́ сиде́л — — и де́лал — таре́лку.
8. Он сказа́л, что — э́той таре́лки он бу́дет — отца́ и мать, когда́ они́ бу́дут —.
9. Оте́ц и мать посмотре́ли — — —.
10. Им — сты́дно, и они́ ста́ли опя́ть — старика́ — —.

II. *Вопро́сы.*

1. Как де́душка ви́дел и слы́шал?
2. Почему́ он за столо́м пролива́л суп?
3. Куда́ переста́ли сажа́ть старика́?
4. Куда́ его́ ста́ли сажа́ть?
5. Что сказа́л де́душка?
6. Почему́ он вздохну́л?
7. Где сиде́л Ми́ша, и что он де́лал?
8. Для чего́ он де́лал э́ту таре́лку?
9. Что сде́лали оте́ц и мать? (Они посмотре́ли . . . и ста́ли опя́ть сажа́ть . . .).

Туркмéния (Совфóто)

Умный судья́

I. *Прочита́йте (и́ли перепиши́те), доба́вив недоста́ющие слова́:*

1. Купе́ц потеря́л — — —.
2. Он объяви́л, — в кошельке́ бы́ло — — —.
3. Он обеща́л за кошелёк — — —.
4. Оди́н — нашёл кошелёк и — его́ купцу́.
5. Он попроси́л — рубле́й, кото́рые купе́ц —.
6. Но купе́ц не — дать — де́нег.
7. Он сказа́л, что рабо́чий — — принёс; что в кошельке́ был — ка́мень.
8. Рабо́чий пошёл к —.
9. Судья́ — купца́ и — ему́: "В — кошельке́ нет —, зна́чит он не —. Пусть он — у рабо́чего."

II. *Дикто́вка.*

1. Бога́тый купе́ц потеря́л кошелёк, в кото́ром бы́ло мно́го де́нег.
2. Он объяви́л в газе́тах, что даст ты́сячу рубле́й тому́, кто принесёт ему́ кошелёк.
3. Оди́н рабо́чий нашёл кошелёк и принёс его́ купцу́.
4. Купе́ц не хоте́л дать ему́ де́ньги, кото́рые он обеща́л.
5. Он сказа́л, что рабо́чий не всё принёс.
6. Судья́ приказа́л (ordered), чтоб кошелёк оста́лся у рабо́чего.

III. *Вопро́сы.*

1. Кто потеря́л кошелёк с деньга́ми?
2. Ско́лько де́нег бы́ло в кошельке́?
3. Что купе́ц обеща́л?
4. Кто нашёл де́ньги?

5. Почему́ купе́ц сказа́л, что в кошельке́ был ка́мень?
6. К кому́ (to whom) пошёл рабо́чий?
7. Кого́ судья́ призва́л?
8. У кого́ оста́нется кошелёк?
9. До каки́х пор (how long)?

По́мощь

I. *Дикто́вка.*

Ско́лько сто́ит фунт ко́фе? Килогра́мм са́хару сто́ит два́дцать копе́ек. Вы мне дади́те сда́чи с пяти́ рубле́й. Напиши́те э́то на листе́ бума́ги. Я ничего́ не хочу́. Учи́тель зада́л нам зада́чу. Вы помогли́ мне реши́ть её.

II. *Разыгра́йте э́ту сце́ну.*

Ещё раз

I. *Дикто́вка.*

1. Ва́ня, в по́езде, стои́т у откры́того окна́.
2. Оте́ц ему́ говори́т: "Не стой у окна́," но Ва́ня не слу́шается.
3. Ему́ нра́вится смотре́ть, как поля́ и дере́вья бегу́т ми́мо по́езда.
4. Оте́ц бы́стро снима́ет шля́пу с головы́ ма́льчика, пря́чет её и говори́т, что ве́тер её унёс.
5. Когда́ Ва́ня запла́кал (began to weep), оте́ц сказа́л, что он зна́ет, как верну́ть шля́пу.
6. Он сви́стнул и верну́л ма́льчику шля́пу.
7. Тогда́ ма́льчик бро́сил шля́пу за окно́ и сказа́л отцу́, чтоб он опя́ть сви́стнул.

II. *Пра́вильно и́ли непра́вильно:*

1. Ва́ня е́дет в автомоби́ле со свои́м отцо́м.
2. Он всё вре́мя стои́т о́коло (near) отца́.
3. Оте́ц ему́ говори́т: "Ва́ня, на́до стоя́ть о́коло окна́."
4. Ма́льчик стои́т у окна́ и смо́трит, как поля́ и дере́вья бегу́т ми́мо по́езда.
5. По́езд идёт бы́стро, и си́льный ве́тер ду́ет в лицо́ Ва́ни.
6. Ва́не э́то не нра́вится.
7. Оте́ц бы́стро снима́ет шля́пу Ва́ни и броса́ет её за окно́.
8. Ва́ня пла́чет.
9. Оте́ц говори́т Ва́не: "Не плачь, утри́ глаза́, я зна́ю, как верну́ть шля́пу."
10. Оте́ц надева́ет Ва́не на го́лову шля́пу, и ма́льчик бы́стро пря́чет её за спи́ну.

Гу́си

I. *Вопро́сы.*

1. Где крестья́нин хоте́л прода́ть гусе́й?
2. Как гу́си шли?
3. Что сде́лал крестья́нин?
4. Кого́ они́ встре́тили?
5. Почему́ гу́си жа́ловались?
6. Что их пре́дки сде́лали?
7. Почему́ пре́дки гусе́й знамени́ты в исто́рии?
8. Эти гу́си лу́чше други́х гусе́й?
9. Чем ка́ждый до́лжен горди́ться?

II. *Переведи́те.*[1]

1. A peasant was driving geese.

[1] Translate.

2. The geese walked slowly.
3. They met a passer-by.
4. They started to complain.
5. Our ancestors saved Rome.
6. They are famous in history.
7. Let each be proud of his (own) acts.

Стрекоза́ и мураве́й

I. *Дикто́вка.*

1. Бы́ло жа́ркое ле́то.
2. Стрекоза́ была́ сча́стлива, потому́ что везде́ бы́ло мно́го травы́, ли́стьев и цвето́в.
3. Она всё ле́то пе́ла, не рабо́тала и ничего́ не загото́вила на́ зиму.
4. Пришла́ зима́, исче́зли трава́ и цве́ты, и на земле́ лежа́л глубо́кий снег.
5. Голо́дная стрекоза́ пошла́ к муравью́ и попроси́ла его́ одолжи́ть ей немно́го зерна́.
6. Мураве́й у неё спроси́л, что она́ де́лала ле́том.
7. Когда́ стрекоза́ ему́ сказа́ла, что она́ всё ле́то пе́ла, мураве́й поверну́лся и ушёл.

II. *Вопро́сы.*

1. Почему́ стрекоза́ была́ сча́стлива?
2. Что она́ де́лала всё ле́то?
3. О чём она́ не ду́мала? (Не всегда́ бу́дет ле́то, насту́пит ..., исче́знут ..., на земле́ бу́дет лежа́ть ...)
4. Кака́я была́ пого́да (weather), когда́ наступи́ла о́сень?
5. Что стрекоза́ вспо́мнила?
6. К кому́ она́ пошла́?

7. Заче́м она́ к нему́ пошла́?
8. Что мураве́й у неё спроси́л? (два вопро́са).
9. Что стрекоза́ отве́тила? (Бы́ло ве́село. Везде́ бы́ло мно́го ... Она́ забы́ла ...)
10. Что мураве́й на э́то отве́тил, и что он сде́лал?

Ва́нька

I. *Вопро́сы.*

1. Ско́лько лет Ва́ньке Жу́кову?
2. Есть-ли у него́ роди́тели?
3. Кто его́ привёл в Москву́? Отку́да? Когда́?
4. У кого́ де́душка оста́вил ма́льчика? Заче́м?
5. Почему́ Ва́нька оста́лся оди́н в до́ме?
6. Что он сде́лал?
7. За что хозя́ин поби́л Ва́ньку?
8. Кто ещё его́ бьёт?
9. Кто смеётся над ни́м?
10. Что Ва́ньке даю́т есть?
11. Где он спит?
12. Что он де́лает, когда́ ребёнок пла́чет?
13. Почему́ Ва́нька не убежа́л в дере́вню?
14. Что он бу́дет де́лать, когда́ де́душка умрёт?
15. Что Ва́нька пи́шет о Москве́?
16. Кто научи́л Ва́ньку чита́ть и писа́ть?
17. Како́й а́дрес Ва́нька написа́л?

II. *Переведи́те.*

1. Vanka is ten years old.
2. He has neither father nor mother.
3. His grandfather brought him to Moscow from a village.
4. Vanka wrote to his grandfather:
5. "Dear grandfather, take me home to the village.

6. I can't live here. I will do everything for you.
7. I am hungry all the time."
8. Vanka finished the letter and wrote the address.

Пти́чка

I. *Дикто́вка.*

1. Молодо́й Турге́нев был с отцо́м на охо́те.
2. Они́ шли по́ лесу.
3. Вдруг пти́чка вы́летела из своего́ гнезда́ и улете́ла.
4. Она́ притвори́лась ра́неной, чтоб отвести́ соба́ку от свои́х ма́леньких.
5. Но она́ не могла́ улете́ть от соба́ки.
6. Соба́ка схвати́ла её и принесла́ её хозя́ину.
7. Тепе́рь она́ лежа́ла на ладо́ни отца́ Турге́нева и смотре́ла на него́.
8. Она́ не бу́дет до́лго жить.
9. Но за что́ она́ должна́ умере́ть?
10. Кака́я несправедли́вость!

II. *Пра́вильно или непра́вильно?*

1. Турге́нев с отцо́м шли по у́лице.
2. Из-под их ног вы́бежала соба́ка.
3. Пти́чка схвати́ла соба́ку.
4. У пти́чки бы́ло бли́зко гнездо́.
5. В гнезде́ бы́ли ма́ленькие.
6. Пти́чка улете́ла от соба́ки.
7. Турге́нев ушёл от пти́чки.
8. Она́ смотре́ла на него́.
9. Пти́чка исполня́ла свой долг.

Пари́

I

I. *Дикто́вка.*

Банки́р дава́л ве́чер. Юри́ст сказа́л, что он вы́нёс бы пятна́дцать лет заключе́ния. Его́ за́перли в до́мике в саду́. В пе́рвый год он мно́го игра́л на роя́ле. Во второ́й год он чита́л кла́ссиков. Пото́м он чита́л би́блию, исто́рию рели́гий и кни́ги по психоло́гии.

II. *Вопро́сы.*

1. Что дава́л банки́р пятна́дцать лет тому́ наза́д?
2. Кто был на ве́чере?
3. О чём говори́ли го́сти?
4. Куда́ за́перли юри́ста?
5. Ско́лько лет он до́лжен там быть?
6. Чего́ он не мо́жет получа́ть?
7. Что заключённый де́лал в пе́рвый год?
8. От чего́ он отказа́лся?
9. Что он чита́л?
10. Каки́е кни́ги он чита́л во второ́й год?
11. Что он де́лал в пя́тый год?
12. Что он изуча́л в шесто́й год?

II

I. *Вопро́сы.*

1. Когда́ заключённый получа́ет свобо́ду?
2. Ско́лько де́нег банки́р до́лжен бу́дет дать ему́?
3. Что бу́дет, е́сли он э́то сде́лает?
4. Когда́ банки́р был бога́т?
5. Почему́ он тепе́рь не так бога́т?
6. В кото́ром часу́ но́чи банки́р вышел и́з дому?
7. В каку́ю ко́мнату вошёл банки́р?

8. Почему́ он там зажёг спи́чку?
9. Что он уви́дел в ко́мнате заключённого? (Где сиде́л заключённый? В како́й по́зе? Что бы́ло на столе́, на сту́льях?)
10. Что банки́р сде́лал пре́жде чем войти́ в ко́мнату заключённого?
11. Почему́ заключённый не отве́тил?

II. *Переведи́те.*

1. Tomorrow at twelve o'clock he will get his freedom.
2. The banker will have to give two million (rubles).
3. If he does this, he will be a poor man.
4. Fifteen years ago, the banker was very rich, but he lost his money.
5. It was three o'clock when the old man left the house.
6. In the garden it was dark and cold. It was raining.
7. The banker thought: "If I kill this man, nobody will know that I did it."
8. He entered quietly and looked into the room of the prisoner.
9. A candle was burning there, and the prisoner was sitting near the table, with his back toward the window.
10. On the table, on the chairs, on the carpets were lying books.

III

I. *Дикто́вка.*

1. В ко́мнате за столо́м сиде́л челове́к.
2. Он был там оди́н пятна́дцать лет.
3. Пятна́дцать лет он не ви́дел земли́ и люде́й.
4. Но он мно́го чита́л, мно́го ду́мал и мно́го по́нял.

5. Он поня́л, что лю́ди иду́т не по той доро́ге; что они́ принима́ют ложь за пра́вду.
6. Он отказа́лся от двух миллио́нов, и вы́шел из до́мика за пять часо́в до сро́ка.

II. *Вопро́сы:*

1. Где сиде́л челове́к?
2. Что он де́лал?
3. Что лежа́ло пе́ред ни́м на столе́?
4. Ско́лько лет заключённый был оди́н в до́мике?
5. Ви́дел-ли он зе́млю, люде́й?
6. Каки́м о́бразом (how) он поня́л жизнь, люде́й?
7. Иду́т-ли лю́ди по пра́вильной доро́ге?
8. За что принима́ют они́ ложь?
9. На что они́ променя́ли не́бо?
10. Каки́м о́бразом заключённый потеря́л свои́ два миллио́на?

III. *Переведи́те.*

1. The prisoner was sleeping.
2. Before him, on the table, lay a sheet of paper.
3. Something was written on it.[1]
4. The banker took the sheet of paper and read the following:
5. I wish to say a few words.
6. I have seen the sun rise in the morning.
7. I have seen green forests, fields, rivers, and cities.
8. I will lose my two millions.

[1] На нём.

До́рого сто́ит

I

I. *Вопро́сы.*

1. Где нахо́дится[1] Мона́ко?
2. Ско́лько там жи́телей?
3. Мно́го-ли во́йска у кня́зя Мона́ко?
4. Как живу́т жи́тели Мона́ко?
5. Что там одна́жды случи́лось[2]?
6. К чему́ присуди́ли престу́пника?
7. Кому́ мини́стры реши́ли написа́ть?
8. Ско́лько бу́дут сто́ить гильоти́на и пала́ч?
9. Куда́ посади́ли престу́пника?
10. Кого́ к нему́ приста́вили?

II. *Пра́вильно или нет:*

1. Мона́ко о́чень больша́я страна́.
2. Эта страна́ нахо́дится далеко́ от мо́ря.
3. В Мона́ко есть князь.
4. У кня́зя нет во́йска.
5. В Мона́ко приезжа́ют лю́ди рабо́тать и чита́ть.
6. В Мона́ко есть гильоти́на и пала́ч.
7. Солда́ты согласи́лись отруби́ть престу́пнику го́лову.
8. Престу́пника посади́ли в тюрьму́.
9. К нему́ не приста́вили сто́рожа.

III. *Переведи́те.*

1. On the shore of the Mediterranean is a small country which is called Monaco.

[1] Is.
[2] Happened.

2. The inhabitants of Monaco live quietly and peacefully, but one day in this quiet, peaceful land a man killed another one.
3. They arrested him and sentenced him to be beheaded.
4. But in Monaco there was neither a guillotine nor a hangman.
5. The prince and his ministers thought and thought, and decided to write to the French government.
6. In a week an answer was received.
7. But the ministers decided that fifteen thousand francs was too expensive.
8. They put the criminal in prison and placed a guard on him.

II

I. *Дикто́вка.*

1. За пе́рвый год заключённый сто́ил шестьсо́т фра́нков.
2. Это о́чень до́рого. Князь испуга́лся.
3. Заключённый ещё молодо́й челове́к. Он ещё до́лго бу́дет жить.
4. Его́ содержа́ние (maintenance) бу́дет сто́ить о́чень до́рого.
5. Князь и мини́стры реши́ли усла́ть сто́рожа.
6. Они́ ду́мали, что заключённый уйдёт, но он не уходи́л.
7. Тогда́ сове́т мини́стров реши́л назна́чить ему́ пе́нсию.
8. Заключённый получи́л часть де́нег вперёд.
9. Он купи́л земли́, развёл огоро́д, и живёт ти́хо, споко́йно.

II. *Вопро́сы.*

1. Ско́лько сто́ило содержа́ние заключённого за пе́рвый год?
2. Почему́ его́ бу́дущее (future) содержа́ние бу́дет сто́ить о́чень до́рого?
3. Что мини́стры реши́ли сде́лать, чтоб содержа́ние заключённого не сто́ило так до́рого?
4. Что заключённый сде́лал, когда́ сто́рож не принёс ему́ обе́да?
5. Что мини́стры реши́ли сказа́ть заключённому?
6. Почему́ заключённый не хо́чет уходи́ть?
7. Что реши́ли, наконе́ц, мини́стры?
8. Что сде́лал заключённый?
9. Как он тепе́рь живёт?

О́рден

I

I. *Дикто́вка.*

1. Лев Пустяко́в был учи́тель вое́нной шко́лы.
2. Он до́лжен был обе́дать у купца́, кото́рый о́чень лю́бит ордена́.
3. Он пошёл к своему́ дру́гу и попроси́л у него́ о́рден.
4. Учи́тель пое́хал на обе́д с о́рденом на груди́.
5. Он прие́хал к купцу́ в два часа́.
6. Го́сти уже́ обе́дали.
7. В столо́вой был его́ това́рищ по слу́жбе, учи́тель францу́зского языка́.
8. Пустяко́в не знал, что де́лать: он не мог показа́ть о́рден францу́зу.

9. Он прикры́л о́рден пра́вой руко́й и сел на стул как ра́з про́тив своего́ колле́ги.
10. Когда́ ему́ пода́ли (served) суп, он сказа́л, что не хо́чет есть.

II. *Пра́вильно или непра́вильно:*

1. Лев Пустяко́в был бога́тый банки́р.
2. Он до́лжен был обе́дать у судьи́ Попо́ва.
3. Он пошёл к своему́ дру́гу лейтена́нту и попроси́л у него́ о́рден.
4. Лейтена́нт дал ему́ о́рден Влади́мира.
5. Пустяко́в пое́хал на обе́д в двена́дцать часо́в.
6. Когда́ он вошёл в столо́вую, там ещё никого́ не́ было.
7. Он обе́дал с аппети́том.

III. *Вопро́сы.*

1. Кого́ Пустяко́в уви́дел за столо́м?
2. Почему́ он не мог показа́ть францу́зу свой о́рден?
3. Почему́ он не ушёл?
4. Что он сде́лал?
5. Почему́ он не ел суп ле́вой руко́й?
6. Что он сказа́л, когда́ пе́ред ни́м поста́вили таре́лку су́пу?

II

I. *Вопро́сы.*

1. Когда́ Пустяко́в посмотре́л на францу́за?
2. Что де́лал францу́з?
3. Что Пустяко́в поду́мал?
4. Кто подня́лся?
5. Что он сказа́л?

6. Что Пустяко́в сде́лал?
7. Что уви́дел францу́з, когда́ Пустяко́в протяну́л ру́ку?
8. Что Пустяко́в уви́дел на груди́ францу́за?
9. Почему́ тепе́рь не на́до бы́ло пря́тать Станисла́ва?
10. Что Пустяко́в де́лал по́сле обе́да?

II. *Переведи́те.*

1. After the third course, the teacher looked at the Frenchman.
2. The teacher took the goblet in his left hand.
3. Give the goblet to Nastasia Timofeevna.
4. The teacher turned pale and lowered (his) head.
5. The host asked[1] the Frenchman to give the bottle to his neighbor.
6. The teacher saw on his chest a medal.
7. The Frenchman did the same thing as he.
8. After dinner, the teacher showed the medal to the young ladies.

Москва́

I. *Дикто́вка.*

Москва́ — центр сове́тской культу́ры. Кра́сная пло́щадь нахо́дится в це́нтре Москвы́. Кремль окружён стено́ю. В Москве́ мно́го теа́тров, музе́ев, библиоте́к и школ. Парк Культу́ры и Отдыха са́мый большо́й и интере́сный парк в Москве́. Там есть откры́тый теа́тр. Этот теа́тр называ́ется "Зелёный". С ба́шни пры́гают с парашю́тами. В Па́рке есть "де́тский городо́к". Ма́тери приво́дят туда́ дете́й.

[1] Попроси́л.

Sovfoto

Москва́. Пло́щадь Маяко́вского и Больша́я Садо́вая у́лица

II. *Переведи́те.*

1. Moscow is a very old and interesting city.
2. The Kremlin is surrounded on all sides by a wall.
3. In Moscow there are many theaters, museums, libraries, and institutions of higher learning.
4. There are also many gardens and parks.
5. In the center of the park there is a high tower, from which people jump by parachute.
6. The Moscow subway is the most beautiful and comfortable in the world.

Кани́кулы в Москве́

I. *Дикто́вка.*

1. Ва́ня был хоро́ший студе́нт.
2. Он мно́го рабо́тал и хорошо́ учи́лся.
3. За э́то оте́ц даёт ему́ де́ньги на пое́здку в Москву́.
4. Ва́ня о́чень рад.
5. Он мно́го чита́л о свое́й столи́це, и ему́ уже́ давно́ хоте́лось пое́хать туда́.
6. Он провёл (spent) в Москве́ де́сять дней кани́кул.
7. Тепе́рь он верну́лся, и за обе́дом расска́зывает, где он был и что он ви́дел.
8. Он был в Моско́вском Худо́жественном теа́тре, в па́рке Культу́ры и в други́х интере́сных места́х (places).

II. *Вопро́сы.*

1. Почему́ оте́ц дал Ва́не де́нег на пое́здку в Москву́?
2. Почему́ сын бу́дет рад пое́хать в Москву́?

3. Ско́лько дней Ва́ня провёл в Москве́?
4. В како́м теа́тре Ва́ня был в Москве́?
5. Что он там смотре́л?
6. Куда́ он пое́хал из теа́тра?
7. Как он пое́хал туда́?
8. Что он де́лал в па́рке?
9. Как называ́ется э́тот парк?
10. Каку́ю о́перу он там слы́шал?
11. Вы бы́ли когда́-нибу́дь в Москве́?

Моско́вское метро́

I. *Дикто́вка.*

1. Постро́йка моско́вской подзе́мной доро́ги представля́ла большу́ю зада́чу.
2. Улицы ста́рой Москвы́ бы́ли у́зкие и кривы́е, и под землёй бы́ло мно́го ста́рых постро́ек.
3. По́чва, на кото́рой стои́т Москва́, мя́гкая, а ру́сские инжене́ры тогда́ ещё не зна́ли, как её де́лать твёрдой.
4. У них та́кже не́ было ну́жных маши́н.
5. Но подзе́мную доро́гу ру́сские лю́ди постро́или, и она́ са́мая лу́чшая в ми́ре.

II. *Вопро́сы.*

1. Что ука́зывает бу́ква М?
2. Когда́ на́чали стро́ить моско́вское метро́?
3. Почему́ постро́йка моско́вского метро́ представля́ла о́чень тру́дную зада́чу? (Улицы . . . по́чва . . . о́пытные инжене́ры . . . маши́ны . . .)
4. Что вы зна́ете о во́здухе в моско́вском метро́? —О температу́ре? —О ваго́нах?
5. Почему́ мы зна́ем, что ру́сские лю́бят моско́вское метро́?

Метро́ (Совфо́то)

Расска́з красноарме́йца

I. *Вопро́сы.*

1. Кто доста́вил патро́нов красноарме́йцам?
2. В како́м состоя́нии (state) бы́ли э́ти три соба́ки?
3. Где находи́лись (were) патро́ны?
4. Оста́лись-ли соба́ки с красноарме́йцами?
5. Где лежа́л ра́неный красноарме́ец?
6. Когда́ э́то бы́ло: днём или но́чью?
7. Что ра́неный ви́дел вдали́? Бли́зко и́ли далеко́?
8. Что соба́ка принесла́ ра́неному?
9. Что сде́лал ра́неный по́сле того́, как перевяза́л ра́ну?
10. А что сде́лала соба́ка?

II. *Переведи́те.*

1. A battle is on, and there are not enough cartridges.
2. Who will get them for us under the enemy's fire?
3. On the sides of the dogs hang bags, and in the bags there are cartridges.
4. I lie on the field with a wound in my leg; I am thirsty.
5. The dog runs up to me.
6. I took the flask and drank.
7. I got a bandage out of the sack and bound my wound as best I could.
8. I arose and slowly walked to the fires.

Среди́ льдов

I. *Вопро́сы.*

1. Что лежи́т на далёком се́вере?
2. Чем оно́ покры́то?
3. Что лю́ди реши́ли сде́лать?
4. Что случи́лось с дирижа́блем?

5. Како́е изве́стие посла́ли с дирижа́бля?
6. Как его́ посла́ли?
7. Что сде́лал ледоко́л?
8. Почему́ ледоко́лу бы́ло тру́дно пробива́ть лёд?
9. Куда́ полете́л аэропла́н?
10. Как до́лго лю́ди про́были среди́ льдов?

II. *Пра́вильно или нет:*

1. На ю́ге лежи́т мо́ре, покры́тое ве́чным льдом.
2. Спаса́ть погиба́ющих люде́й отпра́вился дирижа́бль.
3. Чем то́лще лёд, тем ле́гче ледоко́лу пробива́ть его́.
4. С аэропла́на уви́дели дере́вья и цветы́.
5. С аэропла́на сбро́сили пи́щу.
6. Ледоко́л не спас люде́й.
7. Лю́ди про́были среди́ льдов одну́ неде́лю.

Как я пры́гала с самолёта

I. *Вопро́сы.*

1. В како́е вре́мя го́да лётчица пры́гала пе́рвый раз с парашю́том?
2. Кто подошёл к ней, когда́ она́ была́ гото́ва?
3. Когда́ на́до пры́гать?
4. Что мо́жет случи́ться, е́сли откры́ть парашю́т сли́шком ра́но?
5. Где сиди́т лётчик?
6. Почему́ лётчица не слы́шит, что он кричи́т?
7. Что де́лает маши́на?
8. Куда́ лётчица смо́трит?
9. Чего́ она́ ждёт?
10. Когда́ она́ пры́гнула?

11. Что она́ чу́вствует?
12. Как она́ лете́ла снача́ла?
13. А пото́м?
14. Кто к ней подошёл, когда́ она́ упа́ла?

II. *Переведи́те.*

1. It was a clear, cold day, when I jumped by parachute for the first time.
2. When I was all ready, the head of the school came up to me.
3. He said: "When the pilot gives the signal, jump."
4. "Then count one, two, three."
5. The pilot cries something, but because of the noise of the motor, I don't hear.
6. I stood on the edge of the plane.
7. Now, when I tell about it, it is funny.
8. But then (I) even closed (my) eyes.

Ра́дио

I. *Вопро́сы.*

1. Почему́ радиотелегра́ф сто́ит деше́вле обыкнове́нного телегра́фа?
2. Что радиотелеграфи́ст посыла́л по радиотелегра́фу?
3. Что зна́чат э́ти три бу́квы?
4. Что сде́лали други́е парохо́ды?
5. Благодаря́ чему́ мо́жно передава́ть по во́здуху, без про́волок, разгово́р?
6. Где лю́бят сиде́ть взро́слые и де́ти?
7. Что они́ лю́бят смотре́ть на телеви́зоре?

II. *Дикто́вка.*

1. Для радиотелегра́фа не ну́жно проводи́ть про́волоки.
2. Парохо́д "Тита́ник" наскочи́л на ледяну́ю го́ру.

3. Ра́дио бы́ло при́нято други́ми парохо́дами.
4. Они́ спасли́ мно́го пассажи́ров.
5. Тепе́рь устро́или беспро́волочный телефо́н.
6. Конце́рт и́ли о́перу, кото́рые иду́т в Москве́, мо́жно слы́шать за ты́сячи киломе́тров от Москвы́.

Челю́скинцы

I. *Пра́вильно или непра́вильно?*

1. 12 июля 1933 го́да "Челю́скин" отправля́лся покати́ться по Чёрному мо́рю.
2. Ездить по Ледови́тому океа́ну безопа́сно.[1]
3. Парохо́д "Челю́скин" напо́лнился водо́й и поги́б.
4. Пассажи́ры сошли́ на лёд.
5. Все пассажи́ры бы́ли мужчи́ны.
6. В Москве́ ничего́ не зна́ли о ги́бели "Челю́скина".
7. Челю́скинцы ничего́ не де́лали, и жда́ли сме́рти.
8. На по́мощь челю́скинцам спеши́ли лётчики.
9. Лете́ть им бы́ло о́чень легко́.
10. Самолёты сня́ли всех челю́скинцев в оди́н день.

II. *Вопро́сы.*

1. Заче́м "Челю́скин" отправля́лся в далёкое пла́вание?
2. Легко́-ли парохо́дам пла́вать по Ледови́тому океа́ну?
3. Почему́?
4. Что случи́лось с парохо́дом?
5. Что приказа́л капита́н?
6. Ско́лько пассажи́ров бы́ло на парохо́де?
7. Что челю́скинцы де́лали на льди́не?

[1] Safe.

8. Что они́ де́лали в свобо́дное вре́мя?
9. Когда́ прилете́л пе́рвый самолёт?
10. Кого́ он увёз?
11. Почему́ самолёты не могли́ попа́сть опя́ть в ла́герь до деся́того апре́ля?
12. Чем[1] ко́нчилась исто́рия с челю́скинцами?

Кро́вные ро́дственники

I. *Дикто́вка.*

1. На ми́тинге бы́ло бо́льше трёх ты́сяч челове́к.
2. Молода́я студе́нтка моско́вского институ́та иностра́нных языко́в сиде́ла ря́дом с лётчиком.
3. Они́ ча́сто смотре́ли друг на дру́га и красне́ли.
4. Но они́ не должны́ бы́ли красне́ть, потому́ что они́ бы́ли кро́вные ро́дственники.

II. *Вопро́сы.*

1. Что случи́лось (what happened) с Каза́нским в самолёте?
2. Отку́да мы зна́ем, что он был си́льно ра́нен?
3. Как спасли́ его́ жизнь?
4. Кто показа́л Каза́нскому запи́ску Алекса́ндры?
5. Что ра́неный лётчик прочита́л в э́той запи́ске?
6. Кто написа́л снача́ла Алекса́ндре?
7. Что бы́ло по́сле э́того?
8. Заче́м лётчик прие́хал в Москву́?

III. *Переведи́те.*

1. A young blond woman, with big blue eyes, sat beside a pilot.
2. From time to time they looked at each other and blushed.

[1] How.

3. A year ago the plane in which the pilot was flying caught fire.
4. The pilot jumped out of the plane and fell on the ground.
5. His life was in danger.
6. When the pilot got a furlough, he came to Moscow to thank personally the girl whose blood had saved his life.

Пу́шкин

I. *Дикто́вка.*

1. Пу́шкин дал ру́сской литерату́ре но́вый язы́к и но́вое содержа́ние.
2. Он сде́лал ру́сский язы́к просты́м, поня́тным для все́х.
3. В то́ же вре́мя язы́к Пу́шкина бога́т и разнообра́зен.
4. Пу́шкин о́чень пра́вильно нарисова́л мно́го ру́сских ти́пов того́ вре́мени.
5. Уже́ бо́льше ста лет, как Пу́шкин у́мер, но он всё ещё остаётся са́мым вели́ким ру́сским поэ́том.

II. *Вопро́сы.*

1. Как Пу́шкин измени́л ру́сскую литерату́ру?
2. Что вы мо́жете сказа́ть про язы́к Пу́шкина?
3. Кого́ Пу́шкин рисова́л в свои́х произведе́ниях?
4. Что вы зна́ете о ня́не Пу́шкина?
5. Что Пу́шкин брал из ру́сских ска́зок?
6. Каки́е произведе́ния Пу́шкина вы зна́ете?

Ле́рмонтов

I. *Вопро́сы.*

1. Где роди́лся Ле́рмонтов? — Когда́?
2. Кто его́ воспита́л?
3. Почему́ не ма́ть?
4. Когда́ Ле́рмонтов на́чал писа́ть стихотворе́ния?
5. Ско́лько лет бы́ло Ле́рмонтову, когда́ он пое́хал на Кавка́з?
6. С кем он туда́ пое́хал?
7. Почему́ Ле́рмонтова ча́сто называют певцо́м Кавка́за?
8. Каки́е литерату́рные произведе́ния Ле́рмонтов оста́вил нам?
9. Каки́е произведе́ния Ле́рмонтова вы зна́ете? (в стиха́х . . . , в про́зе . . .)
10. Как у́мер Ле́рмонтов? —Когда́?
11. Ско́лько ему́ бы́ло лет, когда́ он у́мер?

II. *Переведи́те.*

1. When he was three, his mother died, and his grandmother took the child and raised him.
2. Lermontov received a military education.
3. He began to write poems when he was fourteen.
4. The beauty of the Caucasus deeply impressed the boy.
5. Besides verses, Lermontov wrote a remarkable work in prose: the immortal novel *Hero of Our Times.*
6. In this novel he gives us an excellent type of the young Russian man of that time.

III. *Расскажи́те биогра́фию Ле́рмонтова.*

Крыло́в

I. *Пра́вильно или непра́вильно?*

1. Крыло́в знамени́тый компози́тор.
2. Крыло́в писа́л по-францу́зски.
3. Он пра́вильно рису́ет ру́сскую жизнь.
4. Он взял мно́го сюже́тов для свои́х ба́сен у Ба́йрона.
5. Эти сюже́ты он рассказа́л на хоро́шем англи́йском языке́.
6. Живо́тные ба́сен Крыло́ва изобража́ют ру́сских люде́й.

II. *Вопро́сы.*

1. Кто тако́й Крыло́в?
2. Что Пу́шкин сказа́л про Крыло́ва?
3. Почему́ он э́то сказа́л?
4. Что Крыло́в рису́ет в свои́х ба́снях?
5. Как он её рису́ет?
6. У кого́ Крыло́в взял мно́го сюже́тов для свои́х ба́сен?
7. Когда́ Крыло́в роди́лся?
8. Когда́ он у́мер?

Толсто́й

I. *Вопро́сы.*

1. Где Толсто́й роди́лся?
2. Где он был в 1851-м году́?
3. Что он там де́лал?
4. Каки́е произведе́ния он там написа́л?
5. Назови́те са́мые изве́стные рома́ны Толсто́го.
6. Каки́е произведе́ния Толсто́го вы чита́ли?

II. *Переведи́те.*

1. When Tolstoy was a young man, he differed in no way from other young aristocrats of his time: he lived happily, without cares.
2. In eighteen hundred and fifty one *(write out)* Tolstoy went to the Caucasus.
3. There he became an officer.
4. There, for the first time, he began to think seriously about people, about life, about religion.
5. There he wrote his first works, which immediately made him famous.
6. He took part in the defense of Sebastopol.
7. The most famous works of Tolstoy are *War and Peace* and *Anna Karenina.*

III. *Расскажи́те биогра́фию Толсто́го.*

Турге́нев

I. *Дикто́вка.*

1. Мать Турге́нева была́ бога́тая поме́щица.
2. Она́ была́ зла́я и жестоко́ нака́зывала свои́х крепостны́х.
3. Карти́ны э́тих наказа́ний оста́лись на всю жизнь в па́мяти писа́теля.
4. Он ра́но поня́л, что крепостни́чество большо́е зло, и реши́л боро́ться про́тив него́.
5. Его́ "Запи́ски охо́тника" нанесли́ большо́й уда́р крепостни́честву.
6. В них Турге́нев нарисова́л замеча́тельную карти́ну тяжёлой жи́зни крестья́н.
7. Турге́нев написа́л шесть рома́нов и мно́го други́х произведе́ний.

8. Турге́нев у́мер в Пари́же в ты́сяча восемьсо́т во́семьдесят тре́тьем году́.

II. *Вопро́сы.*

1. Что вы зна́ете об отце́ Турге́нева?
2. Что вы зна́ете о хара́ктере ма́тери писа́теля?
3. Как она́ обраща́лась (treated) со свои́ми крепостны́ми?
4. Что молодо́й Турге́нев поня́л?
5. Что он реши́л?
6. Как называ́ется его́ пе́рвый сбо́рник расска́зов?
7. Что а́втор рису́ет в э́тих расска́зах?
8. Что ещё Турге́нев написа́л?
9. Что а́втор рису́ет в свои́х рома́нах?
10. Чита́ли-ли вы каки́е-нибу́дь произведе́ния Турге́нева? —Если да, то каки́е?
11. Где у́мер Турге́нев?
12. Когда́ он у́мер?

Достое́вский

I. *Вопро́сы.*

1. Где Достое́вский роди́лся?
2. Когда́ он роди́лся?
3. Где он учи́лся?
4. Назови́те пе́рвый рома́н Достое́вского.
5. За что его́ арестова́ли?
6. Куда́ его́ сосла́ли?
7. Ско́лько лет он жил в Сиби́ри?
8. Назови́те не́сколько рома́нов Достое́вского.
9. Когда́ Достое́вский стал знамени́тым?
10. Каки́е произведе́ния Достое́вского вы чита́ли?

II. *Пра́вильно и́ли нет?*

1. Достое́вский нигде́ не учи́лся.

2. Он всю жизнь был чино́вником.
3. Достое́вский написа́л мно́го стихотворе́ний.
4. Он никогда́ не́ был в Сиби́ри.
5. Он жил всегда́ в Сиби́ри.
6. "Преступле́ние и наказа́ние" и "Бра́тья Карама́зовы"— расска́зы.
7. Достое́вский вели́кий психо́лог.
8. Он знамени́т то́лько как психо́лог.
9. Рома́ны Достое́вского изве́стны то́лько в Росси́и.
10. Рома́нов Достое́вского тепе́рь никто́ не чита́ет.

III. *Расскажи́те биогра́фию Достое́вского.*

Че́хов

I. *Дикто́вка.*

1. Дед и оте́ц Че́хова бы́ли из крепостны́х.
2. Но Че́хов получи́л хоро́шее образова́ние.
3. Он око́нчил гимна́зию и моско́вский медици́нский факульте́т.
4. Но он ско́ро бро́сил медици́ну и на́чал писа́ть.
5. Че́хов написа́л мно́го расска́зов и пять знамени́тых пьес.
6. Почти́ все произведе́ния Че́хова гру́стные.
7. Они́ отража́ют пессими́зм ру́сской интеллиге́нции того́ вре́мени.
8. Че́хов оди́н из са́мых изве́стных писа́телей ми́ра.

II. *Вопро́сы.*

1. Когда́ роди́лся Че́хов? —Когда́ он у́мер?
2. Како́й факульте́т око́нчил Че́хов?
3. Как до́лго он рабо́тал в го́спитале?
4. Что он сде́лал пото́м?

5. Каки́ми бы́ли пе́рвые расска́зы Че́хова?
6. Почему́ они́ ско́ро сде́лались гру́стными?
7. Что Че́хов написа́л поми́мо (besides) расска́зов?
8. Что отража́ют почти́ все его́ пье́сы?
9. Назови́те не́сколько пьес Че́хова.
10. Ско́лько лет бы́ло Че́хову, когда́ он у́мер?

Короле́нко

I. *Вопро́сы.*

1. Когда́ роди́лся Короле́нко?
2. Когда́ он у́мер?
3. Ско́лько лет бы́ло Короле́нко, когда́ у́мер его́ оте́ц?
4. Почему́ Короле́нко бы́ло тру́дно учи́ться в университе́те?
5. Что он по́сле расска́зывал о свои́х обе́дах?
6. Что случи́лось с Короле́нко, когда́ ему́ бы́ло два́дцать шесть лет?
7. Ско́лько лет он про́жил в Сиби́ри? —Как он их там про́жил?
8. Каки́е расска́зы написа́л Короле́нко в Сиби́ри?
9. Чем замеча́тельны расска́зы Короле́нко?

II. *Переведи́те.*

1. Early in life, Korolenko knew want and sorrow.
2. Korolenko's student days (years) were very hard, as he had to study and work for a living at the same time.
3. A seventeen-copeck meal was then a great luxury for him.
4. When he was twenty-six, he was arrested and exiled to Siberia.

5. Notwithstanding (his) hard life, Korolenko was an optimist.

III. *Расскажи́те биогра́фию Короле́нко.*

Го́рький

I. *Дикто́вка.*

1. Настоя́щие (real) и́мя и фами́лия Го́рького — Алексе́й Пешко́в.
2. Больша́я часть жи́зни вели́кого писа́теля была́ о́чень го́рькая.
3. В де́тстве его́ ча́сто би́ли и пло́хо корми́ли.
4. По́сле, он броди́л по Росси́и и жил, как мог.
5. Го́рький написа́л о́чень мно́го расска́зов, рома́нов и не́сколько пьес.

II. *Вопро́сы.*

1. Когда́ Го́рький потеря́л отца́?
2. Где он жил?
3. Како́й челове́к был де́душка Го́рького?
4. Как он обраща́лся с ма́льчиком?[1]
5. Почему́ Го́рький люби́л свою́ ба́бушку?
6. Опиши́те жизнь Го́рького у сапо́жника.
7. Что Го́рький описа́л в свои́х расска́зах?
8. Что Го́рький писа́л, кро́ме расска́зов?
9. Назови́те три произведе́ния Го́рького.

Шо́лохов

I. *Вопро́сы.*

1. Что Шо́лохов описа́л в свои́х произведе́ниях?
2. Почему́ он так хорошо́ зна́ет жизнь каза́ков?
3. О каки́х каза́ках он писа́л?

[1] Обраща́ться ... to treat

4. Как называ́ется собра́ние[1] его́ расска́зов?
5. Како́е са́мое изве́стное произведе́ние Шо́лохова?
6. Что а́втор рису́ет в э́том рома́не?
7. Оди́н-ли рома́н написа́л Шо́лохов?
8. Что он опи́сывает в своём рома́не "По́днятая целина́"?

II. *Пра́вильно или нет:*

1. Шо́лохов роди́лся в Аме́рике.
2. Он вы́рос среди́ америка́нцев.
3. Шо́лохов написа́л мно́го расска́зов.
4. Он написа́л пье́су "Ти́хий Дон".
5. Это произведе́ние ("Ти́хий Дон") изве́стно за грани́цей.
6. "Ти́хий Дон" рису́ет карти́ну жи́зни каза́ков тепе́рь.

III. *Переведи́те.*

1. Sholokhov grew up among the Don Cossacks, whose life he knew well and described beautifully in his works.
2. In 1928 *(write out)* Sholokhov began to write his famous novel *Silent Don.*
3. He worked for many years on this novel.
4. In another novel the author gives a picture of the development of the collective-farm movement among the Don Cossacks.

[1] Collection.

Азербайджа́н (Совфо́то)

Геогра́фия

I

I. *Дикто́вка.*

1. Приро́да и кли́мат СССР о́чень разнообра́зны.
2. На се́вере кли́мат о́чень суро́вый, а на ю́ге он о́чень мя́гкий.
3. На далёком се́вере ве́чная зима́, на ю́ге жа́ркое ле́то.
4. Есть та́кже больши́е контра́сты в кли́мате и в други́х частя́х страны́.
5. В Сиби́ри то́же не всегда́ и не везде́ хо́лодно.
6. В не́которых места́х Сиби́ри ле́то о́чень жа́ркое.

II. *Вопро́сы.*

1. Ско́лько респу́блик вхо́дят в соста́в СССР?[1]
2. Что ска́зано в те́ксте о разме́рах (size) э́той страны́?
3. Что вы зна́ете о кли́мате и о приро́де СССР?
4. Укажи́те большо́й контра́ст в кли́мате на далёком се́вере и на кра́йнем ю́ге.
5. Ско́лько продолжа́ется зима́ на далёком се́вере?
6. Отку́да мы зна́ем, что на кра́йнем ю́ге почти́ всё вре́мя ле́то? (Там зре́ют . . ., расту́т . . .)
7. Кака́я зима́ и како́е ле́то быва́ют в восто́чной Сиби́ри?

II

I. *Вопро́сы.*

1. Перечи́слите[2] океа́ны и моря́, кото́рые омыва́ют берега́ СССР.
2. Назови́те[3] три реки́ в Сове́тской Евро́пе и четы́ре в Сове́тской Азии.
3. Зна́ете-ли вы каки́е-нибу́дь пе́сни о Во́лге?

[1] Of . . . . . . is the U.S.S.R. comprised?
[2] Enumerate.
[3] Name.

4. Назови́те два кана́ла в СССР и укажи́те, что они́ соединя́ют.
5. Расскажи́те всё, что зна́ете о леса́х СССР.
6. Назови́те го́ры СССР, кото́рые вы зна́ете.

III

I. *Дикто́вка.*

1. В СССР о́коло двухсо́т ра́зных наро́дов.
2. Они́ говоря́т на ра́зных языка́х и испове́дуют ра́зные рели́гии.
3. У ка́ждого наро́да своя́ культу́ра и свой язы́к.
4. В шко́лах ка́ждой респу́блики обуче́ние ведётся на языке́ респу́блики.
5. Не́которые наро́ды СССР сохрани́ли свои́ национа́льные костю́мы.
6. Други́е национа́льные костю́мы постепе́нно исчеза́ют.

II. *Пра́вильно или непра́вильно:*

1. В СССР одна́ рели́гия.
2. Все наро́ды СССР говоря́т на одно́м языке́.
3. Украи́нцы живу́т на се́вере.
4. Ка́ждый граждани́н Сою́зной респу́блики явля́ется граждани́ном СССР.
5. Во всех шко́лах СССР обуче́ние ведётся на ру́сском языке́.
6. Костю́мы наро́дов СССР разнообра́зны.
7. Все наро́ды СССР о́чень похо́жи оди́н на друго́й.

Тата́рское наше́ствие

I. *Вопро́сы.*

1. Что когда́-то в Росси́и называ́лось кня́жеством?
2. Почему́ Росси́я была́ слаба́ в э́то вре́мя?
3. Как тата́ры относи́лись тогда́ к Росси́и?
4. Когда́ они́ покори́ли Росси́ю?
5. Что тата́ры сде́лали с Ки́евом?
6. Что тако́е "Золота́я Орда́"?
7. Что ста́лось (became) с ру́сскими князья́ми?
8. Хорошо́-ли бы́ло ру́сским лю́дям жить при тата́рах?
9. Как до́лго тата́ры остава́лись в Росси́и?
10. Как э́тот пери́од называ́ется в ру́сской исто́рии?
11. Когда́ ру́сские положи́ли коне́ц монго́льскому и́гу?
12. Как они́ э́то сде́лали?

II. *Переведи́те.*

1. Russia was once divided into many parts.
2. The strongest enemies of Russia were the Tatars.
3. They constantly attacked Russia, now from the south, now from the east.
4. The Russian princes could not defend the country.
5. The Russian people bravely fought the enemies, but without success.
6. It was hard for the Russian people to live under the Tatars' rule.
7. People who had no money were made prisoners and sold into slavery.

Алекса́ндр Не́вский

I. *Дикто́вка.*

1. Пока́ ру́сские бы́ли за́няты борьбо́й с тата́рами, на них напа́ли шве́ды.
2. Они́ наступа́ли на Но́вгород и грози́ли завоева́ть Новгоро́дское кня́жество.
3. Но князь Но́вгорода собра́л войска́ и разби́л шве́дов.
4. Этот князь со свои́ми войска́ми разби́л та́кже неме́цких ры́царей, кото́рые уже́ давно́ про́бовали завоева́ть Росси́ю.
5. Алекса́ндр Не́вский—оди́н из велича́йших геро́ев ру́сской исто́рии.

II. *Вопро́сы.*

1. С како́й стороны́ шве́ды напа́ли на Росси́ю?
2. Где князь Алекса́ндр разби́л шве́дов?
3. Как его́ за э́то назва́ли?
4. В како́м ме́сте появи́лись неме́цкие ры́цари?
5. Как они́ бы́ли вооружены́?
6. Укажи́те вре́мя и ме́сто би́твы с неме́цкими ры́царями.

Пётр Вели́кий

I. *Вопро́сы.*

1. Объясни́те, почему́ Пётр Вели́кий мно́го е́здил по Евро́пе; что он де́лал в Англии; в Голла́ндии.
2. Перечи́слите[1] гла́вные интере́сы Петра́ Вели́кого.
3. Для чего́ Росси́и нужны́ бы́ли порты́?

[1] Enumerate.

Sovfoto

Кана́л Во́лга-Дон и́мени В. И. Ле́нина

4. Расскажи́те исто́рию Ленингра́да.
5. Как измени́лась Росси́я, благодаря́ сноше́ниям с за́падной Евро́пой?
6. Укажи́те,[1] что Пётр Вели́кий сде́лал для распростране́ния образова́ния в Росси́и.

II. *Переведи́те.*

1. Peter the First, or the Great, was a man of genius, tremendous strength, and iron will.
2. The construction of ships (shipbuilding) interested him especially.
3. Russia at that time was a very backward country.
4. While still a boy Peter created an army of children, and was their general.
5. Peter wanted to start trade with other lands.
6. For this ports were needed.
7. He built on the banks of the Neva the city St. Petersburg, which is now called Leningrad.
8. Peter also did much for the spreading of education in the land.
9. He also introduced many reforms.

Наполео́н в Москве́

I. *Дикто́вка.*

1. Наполео́н со свои́м шта́бом смотре́л на Москву́ с Покло́нной горы́.
2. Он ду́мал, что градонача́льник Москвы́ принесёт ему́ ключи́ от го́рода.
3. Когда́ он уви́дел, что ключе́й не несу́т, он приказа́л войска́м войти́ в го́род, а сам заня́л Кремль.

[1] Indicate.

4. Но он споко́йно провёл в Кремле́ то́лько одну́ ночь.
5. На второ́й день у́тром вся Москва́ горе́ла.
6. Ско́ро хо́лод и го́лод заста́вили Наполео́на отступи́ть.

II. *Вопро́сы.*

1. Почему́ Наполео́н ду́мал, что градонача́льник Москвы́ принесёт ему́ ключи́ го́рода?
2. Что он сде́лал, когда́ ему́ ключе́й не принесли́?
3. Како́й сюрпри́з ожида́л Наполео́на у́тром?
4. Что Наполео́н тогда́ сде́лал?
   —Что он приказа́л?
5. Почему́ его́ солда́ты не могли́ потуши́ть пожа́р?
6. От чего́ ещё страда́ла а́рмия Наполео́на в Росси́и? (Партиза́ны . . . Крестья́не . . . Хо́лод . . .)

Ле́нин

I. *Вопро́сы.*

1. Как настоя́щая фами́лия Ле́нина?
2. Когда́ он роди́лся?
3. Когда́ он у́мер?
4. Как Ле́нин око́нчил гимна́зию, и в како́й университе́т он поступи́л?
5. Почему́ он не око́нчил университе́та?
6. За что́ его́ сосла́ли в Сиби́рь?
7. Оста́лся-ли Ле́нин в Росси́и, когда́ он верну́лся из Сиби́ри?
8. Как печа́талась газе́та “Искра”? — Почему́?
9. Куда́ пое́хали ру́сские делега́ты в ты́сяча девятьсо́т тре́тьем году́?

10. Почему́ Ле́нина и его́ сторо́нников назва́ли большевика́ми?
11. По́сле како́го собы́тия (event) Росси́я ста́ла Сою́зом Сове́тских Социалисти́ческих Респу́блик?
12. Чем стал тогда́ Ле́нин?
13. Како́й па́мятник постро́или ру́сские Ле́нину?
14. Где нахо́дится э́тот па́мятник?

II. *Переведи́те.*

1. Lenin's father was a director of schools in Simbirsk.
2. Lenin did not finish college: he was expelled because he took part in student agitations against the Russian government.
3. Then Lenin went to Samara, where he continued studying.
4. At that time he studied Marxism and took an active part in the revolutionary movement of the land.
5. In 1917, after the Revolution, Russia became the Union of Soviet Socialist Republics, and Lenin became the leader of the Union.

РУ́ССКО-АНГЛИ́ЙСКИЙ СЛОВА́РЬ

А

а but, and; — **то** or
а́вгуст August
а́втор author
аккура́тно regularly
акти́вный active
америка́нец American
а́нгел angel
англи́йски; по — in English
англича́нин Englishman
апельси́н orange
апре́ль April
арестова́ть to arrest
аристокра́тия aristocracy
арме́йский army (*adj.*)
армяни́н Armenian
аэродро́м airport
аэропла́н airplane

Б

ба́бушка grandmother
Ба́йрон Byron
банки́р banker
ба́ночка small jar
ба́рыня madam
ба́рышня miss, girl
барье́р; к —у! we'll fight it out!
ба́сен see **ба́сня**
баснопи́сец fabulist
ба́сня fable
ба́шня tower
ба́юшки баю́ hushaby
бе́гать to run; **бегу́т** run
бе́гство flight
беднота́ poverty
бе́дный poor
бедня́жка poor thing
бежа́ть to run, run away from
без without
безнака́занно with impunity
безу́мный mad, senseless
безуспе́шно unsuccessfully
безуте́шно inconsolably
беле́ть to look white, whiten; **бе́лый** white
бе́рег shore
берегла́ (бере́чь) saved
берегу́т (бере́чь) take good care
бережёт (бере́чь) guard
берёт (брать) takes; — **её за та́лию** puts his arms around her
беспла́тно free of charge
беспоко́ить to disturb
беспро́волочный wireless
бессме́ртный immortal
бесцеремо́нный unceremonious
бе́шенно madly
библиоте́ка library
би́блия bible
бинт bandage
би́ржа stock exchange
бить to beat
би́ться to fight
благодари́ть to thank
благода́рность gratitude
благодаря́ thanks to
блесте́ть to shine
бли́же nearer, closer
бли́зко nearby
блонди́нка blond woman

блю́до course, dish
Бог God, Lord
бога́т, —ый rich, wealthy; **богате́ть** to become rich; **бога́тство** riches; **приро́дные бога́тства** natural resources
богаты́рь giant
бо́дро courageously, hopefully
бо́дрость courage
бо́дрый courageous, vigorous
бое́ц fighter
Бо́же Lord; **— мой!** God Almighty!
бо́жий God's
бой battle; **идёт —** the battle is on.
бойцу́ (бое́ц) to the warrior, fighter
бок side; **по—а́м** on the sides
бо́лее more
бо́лен, больна́ sick, ill
бо́льно hurts; **тебе́ не —** ? doesn't it hurt you? **ста́ло —** was hurt
больно́й sick person, sore
бо́льше more; **— не . . .** no more; **— ничего́** nothing more
большо́й large, great; **са́мый —** the largest
бо́рзый swift
боро́ться to struggle, fight
борьба́ struggle
craсся
бося́к tramp
бо́чка barrel
бою́сь (боя́ться); я вас — I'm afraid of you
бра́нный warlike
брань abuse
брат brother
брать to take; **— в пле́н** to take prisoner
броди́ть to wander, stroll
броса́ть to throw; **бро́сить** to give up, refuse; **—ся** to rush
бро́шенный thrown
бу́дет (быть) will, will be
бу́дто, как — as if
бу́ду, бу́дете will
бу́дущее future (*n.*)
бу́дущий future (*adj.*)
бу́ква letter
бу́лка loaf of white bread
бума́га paper
бума́жка piece of paper
бу́ря storm
буты́лка bottle
быва́ть, быть to be, occur
бы́вший former
был was; **— бы** there would be; **— у . . .** called on . . . ; **у . . . — . . .** had; **бы́ли, бы́ло** were, there were
было́й former, bygone
быстре́й faster
бы́стро quickly; **— ухо́дит** makes a rapid exit
бы́стрый rapid
бьёт (бить) strikes, beats

В

в in, into, at
ваго́н car
ва́жный important
вам (вы) you; **я — не** I am not your . . .
вас you
ваш your, yours
вбить to drive in
ввёл introduced
вверх upward
вводи́ть to introduce
вдали́ in the distance
вде́нешь you will put
вдова́ widow

вдоль down
вдохнове́нный inspired
вдохнови́ть, вдохновля́ть to inspire
вдруг suddenly
ведётся (вести́сь) is conducted
ве́жливость courtesy
везде́ everywhere
век century
веле́ть to order
вели́ tell them . . .
велика́н giant
вели́кий great; Pacific
ве́ра faith
ве́рить to believe
верна́ true, faithful
ве́рность loyalty
верну́ть to return, bring back; **—ся** to come back, return; **вернётся** will be back; **верну́вшись** when he returned; **верну́лся** returned
ве́рный faithful
вероя́тно probably
верста́ verst
вёрсты mileposts
верши́на peak, top
веселе́е merrier
ве́село happily, merrily
весёлый merry, jolly, gay
весна́ Spring
весь all, entire
ветве́й (ветвь) branches
ве́тер, —ок wind
ве́тка branch
ве́чер evening, party; **по —ам** in the evening
ве́чный endless, eternal
ве́ять to blow softly
взгляд look; **под —ом** before
вздохну́ть (вздыха́ть) to sigh
вздра́гивать to shudder, jerk, start
взойдёт (взойти́) will rise
взро́слый grown up
взро́слым, уже́ — when he grew up
взять to take, consider; **взя́тый** taken
вид, с —у in appearance
вида́ть, ви́деть to see; **ви́ден** is seen; **ви́дим, ви́дит, ви́дите**
ви́лка fork
вино́ wine
винова́т; да ра́зве я —? is it my fault?
висе́ть to hang
"**Вишнёвый сад**" "Cherry Orchard"
вку́сный tasty
владе́ние domain
вла́жный moist, damp
власть rule, power, authority
влюби́ться to be in love
влюблён in love
вме́сте together; — **с тем** at the same time
вне́млет (мнима́ть) listens
вниз downward; **—у́** below
внима́ние attention
внима́тельно attentively, carefully
внима́я listening to
внук grandson
внутри́ inside
во́все not at all
вода́ water
вое́нный military
вождь leader
во́жжи reins
возвраща́ться to come back, return
возвраще́ние return
во́здух air
возду́шный шар balloon
во́зле near
возьмёт (взять) will take

возьмёшь you will take
возьми́ take
во́ин warrior
война́ war; **мирова́я** — world war; **гражда́нская** — civil war
войска́, во́йско army, troops
войти́ to enter
вокру́г around
волна́ wave
волне́ние unrest, agitation, emotion
волни́стый wavy
во́ля will, wishes
вон; убира́йтесь — ! get out!
вооружённый armed
вопро́с question, problem
воробьёв (воробе́й) sparrows
воро́та gate
восемна́дцать eighteen
во́семь eight
восемьсо́т eight hundred
воскли́кнуть to exclaim
воспи́танный well-bred
воспита́ть to bring up
воспомина́ние reminiscence
восто́к east; **—чный** eastern
восходи́ть to rise
восьмидеся́тых годо́в of the eighties
вот here, here are, there; **— как** here is how; **ну** — well, there you are; **— он** here it is; **— так** like that; **— э́то есть** that's . . .
воти́ровать to vote
вошёл (войти́) entered
впада́ть to flow, fall into
вперёд forward, ahead; in advance
впечатле́ние impression
враг enemy
вре́мя time; **во́** — during; **всё** — all the time, continually; **в своё** — when her time came; **в то́ же** — at the same time; **на** — for a time; **не́которое** — some time; **— от вре́мени** from time to time; **того́ вре́мени** of that time
всажу́ (всади́ть) I'll put in
все everyone
всё everything, all that, still; **— ещё** still; **за — э́то** for all that; **— таки́** yet, still; **— э́то** all that
всегда́ always
всего́ altogether, only
все́ми with all
всех all; **во** — in all
вска́кивать, вскочи́ть to jump up
вско́ре soon
вслед after (follow after)
вспомина́ть, вспо́мнить to recall
вспомина́я remembering
вспы́хнуть to flash
встава́ть, встать to get up
встаёт gets up
встрепену́ться to start
встреча́ть, встре́тить to meet, greet, welcome; **—ся** to be found, meet
вступи́ть come to, mount
всю, вся all, entire
вся́кий every kind
втори́ть to echo
второ́й second
вход entrance; **—и́ть** to enter
вчера́ yesterday
вы́бежать to run out
вы́веди (вы́вести) show out
вы́веска sign
вы́гнать to chase out
вы́держать to pass (examination)
вы́ехать to ride out
выздора́вливать, вы́здороветь tc recover
вы́зов challenge
вы́йду (вы́йти) will go out

вы́лететь to fly out
вы́нести to stand; **не выношу́** I can't stand
вы́нужден compelled
вы́пить to drink, have some
вы́прыгнуть to jump out
вы́пьём let us drink
выража́ть, вы́разить to express
выраже́ние expression, form
вы́расти to grow up; **—ть** to raise
вы́рвать to take out
вы́росших who grew up
высо́кий tall
высоко́ high
высота́ height
вы́стрелить to fire
вы́ступить to offer, present
вы́сший the highest
вы́тянуть to hold out
выходи́ть to go out, leave; **— на** (windows) to open on
вы́шёл (вы́йти) went out

Г

га́вань port
гада́ть to engage in divination
газе́та newspaper
гармо́нь, —шка accordion
гармони́ст accordion player
гвоздь nail
где where; **—то** somewhere
гениа́льный highly gifted; **— ум** genius
геро́й hero, principal personage; **герои́ня** heroine; **в —е** in the character of the . . .
ги́бель ruin, wreck
гильоти́на guillotine
гимнази́ст secondary school student
гимна́зия secondary school
гла́вный main
гла́вным о́бразом mainly
глаз eye; **не отрыва́ет —** has her eyes fixed; **на мои́х —а́х** before my very eyes
гла́зки eyes
глас (го́лос) voice
глубина́ depth
глубо́кий deep
глушь wilderness
гляде́ть to look
гнать to drive
гнев rage
гнездо́ nest
говори́тся it is said
говори́ть to talk, speak, say
год year
годово́й annual
голла́ндец Dutchman
Голла́ндия Holland
голова́ head; **— боли́т** head's aching
го́лод hunger, famine
голо́дный hungry
го́лос voice, vote
голубо́й blue
го́нит (гнать) drives
гора́ mountain
гора́здо much
горди́ться to pride oneself
го́ре misery, grief, sorrow
горе́ть to burn
го́рничная chambermaid
го́рный mountain (adj.)
го́род town, city
горчи́ца mustard
го́рький bitter
горя́чая любо́вь warm affection
горя́чий warm, hot, ardent
горячо́; — люби́ть to love passionately, dearly
го́спиталь hospital
Го́споди Lord; **— !** Goodness! Graciousness!

господи́н gentleman, sir, mister
го́сти; в — to see, visit
гости́ная drawing room
гость guest, visitor
госуда́рство state
гото́в ready; **—ясь** getting ready
гра́бли rake
градонача́льник mayor
граждани́н citizen
гражда́нская война́ civil war
гра́мота reading and writing
грани́тный granite (adj.)
грани́ца border; **за —ей, за —у** abroad
гра́ция grace
греме́ть to ring
греть to heat; **горячо́ гре́ет** is very hot
гро́б coffin; **до —а** until death
гроза́ storm
грози́ть to threaten
грозово́й stormy
гро́мко loud
гру́бо rudely
гру́бый rude, coarse
грудь chest, bosom
грузи́н Georgian; **Гру́зия** Georgia
гру́стно sadly; **. . .у** — ; . . . is sad
гру́ша pear, pear tree
гря́зный dirty
губа́ lip
губи́ть to destroy
гуди́те (гуде́ть) hum (*imp.*)
гуля́ть to take a walk, to tread; **мы мно́го гуля́ли** we have had a long walk
густо́й thick
гусь goose; **гу́си** geese

Д

да yes; **да-с** yes, sir!
дава́ть, дать to give; **дади́те** you'll give; **даёт** gives; **да́й, —те** give, get; **дам** I shall give; **даст** will give; **дать сло́во** to vow; **—уро́к** to teach a lesson; **даю́т** they give
давно́ long ago; **— уже́ for** a long time
да́же even
далеко́ far away
да́льний far off, distant
да́льше farther; **всё—и—**farther and farther
да́ма lady
дана́ (дать) is given, will last
Да́ния Denmark
дань tribute
два, две two
двадцати́ пяти́ of twenty-five
два́дцать twenty
два́дцать-ше́сть twenty-six
двена́дцать twelve
дверь door
две́сти two hundred
дви́гаться, дви́нуться to move
движе́ние movement, traffic
двор yard, court
дворца́ (дворе́ц) castle
дворяни́н nobleman
двухсо́т (две́сти) two hundred
де́вичья maiden (*adj.*)
де́вочка little girl
де́вушка girl
девятна́дцатый nineteenth
девятна́дцать nineteen
де́вять nine
де́душка grandfather
де́йствие act
де́йствующие ли́ца characters of play
дека́брь December
дел (де́ло) acts, deeds
де́лать to do; **что — ?** what is to be done? **что́ же** — well, what can I do? What is to be

done? **что́ же мне́ — ?** What can I do?
делика́тен, делика́тный gentle
дели́ться to be divided
де́ло thing, deed, matter; **э́то моё —** it's my affair; **по де́лу** on business
де́нег (де́ньги) money
день day; **це́лый —** all day
дере́вня village, country
де́рево tree, wood
дере́вья trees
деревя́нный wooden
держа́ть to hold, keep, take (exam); **— себя́** to behave
деся́тый tenth
де́сять ten
де́ти, дете́й (дитя́) children
де́тский childish
де́тство childhood
деше́вле (дёшево) cheaper
ди́кий wild
дикто́вка dictation
дитя́ child
длина́ length
дли́нный long
для for; **— чего́** why; **— того́ что́бы** to, in order to
дней (день) days
дно bottom; **"На дне́"** "at the bottom" "Night's Lodging"
дня (день), со — since
днях days
до until, before
добежа́ть to run up
доброта́ kindness; **до́брый** kind, good
дово́льно that's enough; **— !** I've had enough
догада́ться to guess, think
дое́хать to arrive
дождь rain; **пошёл —** rain began to fall; **шёл —** it was raining
докажу́ (доказа́ть) I shall show
долг debt, duty
до́лгий (до́лго) long
долгове́чный long lasting
до́лжен must; **— бу́ду** will have to; **был мне —** owed me; **я —** I've got to; **— был** was to
должна́ must (f.)
должни́к debtor
должно́ быть must have
должны́ must, need
доли́на valley
дом house, home; **до́ма, — нет** isn't at home; **— никого́ нет** there's nobody at home
до́мик little house
домо́й home
донско́й of the Don (river)
доро́га road; **по —е** along the road; **желе́зная —** railway
до́рого expensive
доса́да; кака́я — ! that is too bad
доска́ board
доста́вить to deliver
доста́точно enough
доста́ть to get
досто́инство dignity, respect
дохо́д income
доходи́ть to reach
до́чери (дочь) daughters
драгоце́нный precious
драли́сь (дра́ться) fought
дре́млет (дрема́ть) is dozing
дремли́ slumber
дрожа́ть to tremble, shake
друг friend; **— на —а** at each other
друго́й other, another; **на — день** on the next day
другу́ю another
дру́жба friendship
дру́жная рабо́та energetic work
дру́жно in harmony

друзья́ friends
ду́ет (дуть) blows
ду́ма a thought
ду́мать to think
дура́к fool
ду́рно! I'm ill; **мне — де́лается** I feel sick
душа́ soul, person
дуэ́ль duel; **стреля́ться на дуэ́ли** to fight a duel
дыша́ть to breathe
дя́дя uncle

Е

Евро́па Europe
европе́йский European
его́ his
е́дем (е́хать) we ride
е́дет, е́дут rides, ride
еди́нственный only, sole
едя́т (есть) eat
е́здить to travel, ride; **никуда́ не е́здите** you don't go anywhere
её her, it, of it
ел (есть) ate
ему́ to him; — **ста́ло ску́чно** he became bored
е́сли if, since, just because; — **бы** if
есте́ственный natural
есть there is (are)
есть to eat; **на́до** — you should eat; **хоте́л** — was hungry; **хо́чет** — is hungry; **хочу́** — I am hungry
е́хать to travel, drive
ещё still, yet, also **а — хотя́т** (see **хотя́т**)

Ж

жа́лкий pitiful
жа́ловаться to complain
жаль a pity; **ему́ ста́ло** — he became sorry; **мне** — I feel sorry
жара́ heat
жа́реный fried, roasted
жа́ркий warm, hot (weather)
ждать to wait; **ждёт** waits; **ждёшь** wait; **жду, жди́те** wait
жела́ние desire, wish
жела́ть to wish
желе́зный of iron
же́нщина woman
же́ртва victim
жесто́к cruel; — **ость** cruelty
жив, —а live, alive; **живём (жить)** we live; **живёт, живу́т**
живо́й lively
живо́тное animal
живу́щим living
жи́вы alive
жизнь life; **всю** — forever
жи́тель citizen, inhabitant; **жить** to live; **житьё** life, existence

З

за after, at, behind, for, out, to; — **что́** what for
забира́ть в плен to take prisoner
забо́та; без забо́т carefree
забу́дет (забы́ть) will forget; **забу́дь, не — же** don't forget; **им не забы́ть** — they can't forget
заведе́ние; учёбное — educational institution; **вы́сшее** — — institution of higher learning
заво́д factory
заводи́ть start (to sing)
завоева́ть to conquer
за́втра tomorrow
завяза́ться to begin
загля/ну́ть, —де́ться to look (into)
загна́ть to drive in (to, on)

заговори́ть to begin to talk
загоре́ться to catch fire
загото́вить to prepare
за гра́ницу abroad
зада́ть to assign
зада́ча problem
заду́маться глубоко́ to plunge into deep reverie
задыха́ться to choke
зажёг (зaжéчь) lit
зака́т sunset
закива́ть to nod
заключе́ние imprisonment
заключённый prisoner
закрыва́ть to close
закры́вши closed
зал hall
зали́в bay
замени́ть to replace, commute
за́мерло fell still
заме́тить to comment, notice
замеча́тельный remarkable
замо́к lock; **заперла́ себя́ на —** locked myself up
замора́живать to freeze
за́навес curtain
занима́ться to give attention
за́нят busy; **был —** was preoccupied, interested
за́пад west
за́пер, —ла́, —ли́ (запере́ть) locked (in); **— себя́ на замо́к** locked . . . up
запи́ска note; "**Запи́ски охо́тника**" "The Hunter's Notebook"
запла́кать to cry
заплати́ть to pay
заплачу́ I shall pay
запря́чь to harness
зарабáтывать to earn; **— на жизнь** to make a living
засверка́ть to shine
заслу́га merit
засмея́ться to laugh
засну́ть to fall asleep
заста́вить to force, compel
застига́ть to overtake
зате́м then
захва́тывает includes
захоти́те (захоте́ть) you'll want
заче́м? why should I? Why?
защи́та defense
защища́ть to defend
защищённый (защища́ть) protected
звёзды (звезда́) stars
звон sound of a bell; **вече́рний —** evening bells
звони́ть to ring
звук sound
зда́ние building
здесь here
здоро́ва unharmed
здоро́вый healthy
здоро́вье health; **отрази́ться на его́ здоро́вьи** to affect his health
зева́ть to yawn
зелёный green
земля́ earth
зерно́ grain
зима́ winter
зи́мний winter (*adj.*)
зимо́й in winter
зла́; как я — how angry I am
зло evil
злой bad, vicious; **— смех** bitter laugh
злость anger; **— прошла́** I'm not angry any more; **от —и** in a temper
знак signal, sign
знамени́тый noted, famous
зна́мя flag
зна́йте I must warn you

знать to know; **да́ли** — notified
зна́чит it means
значи́тельный significant
зна́чить to mean, signify
зна́ю I know
зно́йный torrid
зол angry
зо́лото gold
золото́й golden
зреть to ripen
зуб tooth

И

и́ва willow
и́го yoke
игра́ acting; **—ть** to play
идёт (итти́) goes, moves; **иди́** go; **—те за мно́й** come with me; **иду́** I go; **иду́т** they go
из, —о of, for the, out of, from
изба́виться to get rid
изве́стен is known
изве́стие notice, news
изве́стный well known; **са́мый** — the most famous
извини́те you must excuse me
издава́ть to publish
издава́ться to be published
из-за́ from, from behind, on account of
измени́ться to change
изму́читься to be tired out
из них of them
изобража́ть to portray
из-под from under
изуча́ть, изучи́ть to learn, to explore
и́ли or, or else
и́мени (имя) name; **по** — named
име́ние estate
име́ть to have
и́мя name
инжене́р engineer
иногда́ occasionally
иностра́нец foreigner
иностра́нный foreign
интеллиге́нтный cultured, intellectual
интеллиге́нция cultured class
интере́с interest
интере́сный interesting
интересова́ть to interest
иска́ть to search, look for
исключе́ние; за —м with the exception
исключи́ть to expel
и́скра spark
и́скренний sincere
иску́сственный artificial
испове́дывать to profess
исполня́ть to fulfill
испо́ртить to spoil, ruin
испра́виться to reform
испуга́ться to get frightened
истори́ческий historic
исто́рия history, story; **така́я** — it's like this
исчеза́ть, исчёзнуть to disappear
исчёзли disappeared
и так да́лее and so on
Ита́лия Italy
и́щет seeks
ию́ль July

К

Кавка́з Caucasus; **—ский** of the Caucasus
ка́ждый every, each
ка́жется seems
каза́к Cossack
каза́ться to seem
каза́чий Cossack (adj.)
казни́ть to execute
казнь execution; **смёртная** —capital punishment

как how, as, like, that, since; — **бу́дто** as if; —**нибу́дь** somehow; — **ра́з** exactly; — . . . **так и** . . . as well as
кака́я, како́й what a, such as; —**нибу́дь** some; —**то** some, a
каки́е what kind
ка́мень stone
кани́кулы vacation
капита́н captain; "**Капита́нская до́чка**" "The Captain's Daughter"
ка́рий brown (eyes)
карма́н pocket
карти́на picture
карто́фель potato
ка́рточка; фотографи́ческая — photograph
кача́ть to rock
ка́ша porridge
кинемато́граф movie theatre
ки́нуть to leave
кладёт (кла́сть) puts
ключ key
кни́га book
кня́жество principality
князь prince
ковёр rug
когда́ when; —**нибу́дь?** ever? —**то** at one time, once
коле́ни knees (see **станови́ться на —**)
колле́га colleague
колоко́льчик small bell
коло́нна column
ко́лос ear, head of grain
колхо́з collective farm
колыбе́ль cradle; **-ная пе́сня** lullaby
кольцо́ ring
ко́мната room
компози́тор composer
Кому́ на Руси́ жить хорошо́?
коне́ц end; **в конце́** in the end
коне́чно certainly
ко́ни (конь) steeds, horses
ко́нчен, -а at an end
ко́нчить to finish
копа́ть to dig
копе́йка, копе́ек copeck (small copper coin)
кораблестрое́ние shipbuilding
кора́бль ship
корзи́на basket
корми́ть to feed, support
коро́ткий, коро́тенький short
котле́та cutlet
кото́рый who, which; **за кото́рым** at which
кошелёк purse
край land, country, edge
кра́йний extreme
краса́, краса́вица beauty
краси́вый pretty, beautiful
красне́ть to blush
красноарме́ец Red Army man
кра́сный red
красота́ beauty
красо́ты приро́ды natural beauties
кра́ткий short
края́; да́льние — distant parts
Кремль Kremlin
кре́пко powerfully; — **спа́ть** to sleep soundly
крепостни́чество serfdom
крепостно́й serf
кре́сло armchair
крестья́нин peasant
криво́й crooked
кри́к shout; —**нуть** to shout
крити́ческий critical
крича́ть to shout
крова́вый bloody
кро́вные ро́дственники blood relations

кровь blood
кро́ме besides
кро́ткий kind
круго́м around, all around
кру́пный great
круто́й steep
крыло́ wing
Крым Crimea
кры́мская Crimean
кто́ who; — **бы ты ни́ был** no matter who you are; —**нибу́дь** some one; —**то** some one; — **э́то?** who is that?
к тому́ же moreover
куда́ where, where to
ку́кла doll
культу́ра culture
купе́ц merchant
купи́ть to buy
ку́пленный purchased
кури́ть to smoke
куро́к; поднима́ете — you cock the trigger
кусо́чек little piece
ку́хня kitchen
ку́чер coachman

Л

ла́вка store
ла́герь camp
ладо́нь palm of hand
лазу́рь azure
лаке́й footman
ле́вый left
лёг (лечь) lay down
легко́ easy
лёд ice
Ледови́тый океа́н Arctic Ocean
ледяны́е icy; —**а́я гора́** iceberg
лежа́ть to lie, be situated
лежи́т there is; — **в моги́ле** is in his grave
лейтена́нт lieutenant
лес forest; —**но́й** (*adj.*)
лет years; . . . **де́сять** — is ten years old; **мно́го** — many years; **мно́го — тому́ наза́д** many years ago; **пройдёт — де́сять** in ten years' time; **когда ему́ бы́ло пятна́дцать** — when he was fifteen; **лета́** years
лете́ть to fly
лети́ see **лете́ть**
ле́то summer; —**м** in summer
лётчик, лётчица flyer, pilot
лечи́ть to treat, cure
лимо́н lemon
лири́ческий lyric
лист sheet, leaf; **ли́стья** leaves
ли́ственный leafy, foliage
лицеме́рный hypocritical
лицо́ face; **де́йствующие ли́ца** characters
ли́чно personally
лише́ние privation
лиши́ть to deprive
лишь бы just to, so long as
лоб forehead; **ме́дный** — thick head
ло́гика logic, way to reason
ло́жка spoon
ложь falsehood
ло́шадь horse
луна́ moon
луч ray; —**и́стый** radiant
лу́чше better; **тем** — all the better
лу́чший better, best; **са́мый** — the best
льди́на ice flow
льдов, льду (лёд) ice
льёт (лить) streams, pours
любо́вь, любви́, любо́вный love; **люби́ть** to love, like, be fond of; **люблю́** I love, like; **лю́бят** they love

любозна́тельность love of knowledge
лю́ди people

М

мавзоле́й mausoleum
май May; **—ский** May (*adj.*)
ма́ленький little, small
ма́ло little
ма́льчик, мальчи́шка small boy
ма́ма mother
мани́ть to beckon, lure
март March
масли́на olive
матере́й (мать) mothers'
ма́тушка! mother, dear Madam!
махнёшь (махну́ть) you'll wave
ма́чта mast
маши́на airplane
мгла mist, haze
медве́дь bear
медици́нский факульте́т school of medicine
ме́дленно slowly
ме́дный copper; **— лоб** thick head
ме́жду between; **— собо́й** among themselves
ме́нее less
меня́; у — есть I have
ме́сто place
ме́сяц month; **с —** for about a month; **за не́сколько —ев** a few months before
мете́лица, мете́ль snowstorm
метёт (мести́) blows, sweeps
метрополите́н subway, underground railway
мечта́ть to dream
меша́ть to interfere, keep from
ми́ленький sweetheart
ми́лость kindness, favor; **сде́лай —** do me a favor
ми́лый beloved, dear
ми́ля mile
ми́мо by
мини́стр (cabinet) minister
мир peace, world
ми́тинг meeting
младе́нец baby
младо́й young
мне to me, me
мно́гие many
мно́го many, much; **как —** how much; **так —** so much
мной, мно́ю, me; **со —** with me
мог, могла́, могли́, могу́, мо́гут (мочь) can, could; **как мог** as he could
моги́ла grave; **до са́мой —ы** to the end of my days; **лежи́т в моги́ле** to lie in the grave, to be dead
мо́жет (мочь) can, may; **— быть** perhaps, there may be
мо́жно it is possible
мой, моя́, моё, моего́ my, mine
моли́ться to pray
мо́лния lightning
мо́лодец; до́брый — fine young man; **молодёжь** youth
молодо́й young
мо́лча in silence; **молча́ть!** shut up!
молю́сь (моли́ться) pray
моля́ся praying
монасты́рь convent
мо́ре sea
Моро́з кра́сный нос Frost the red nose
моро́зный frosty
морско́й naval, of the sea
морщи́на wrinkle, furrow
Москва́ Moscow
Моско́вский Худо́жественный теа́тр Moscow Art Theater

мо́ют (мы́ться) are being washed
мра́мор marble
муж husband
мужи́к boor, moujik, peasant
музе́й museum
му́зыка music
музыка́льный musical
мураве́й ant
му́чить to torment
мчись (мча́ться) hurry along
мы we
мысль thought, idea
мя́гкий mild, soft
мяте́жный restless, rebellious

Н

на on, at, for, in
наве́к forever
наводи́ть to bring
наводни́ть to overrun
навстре́чу towards
над above, on
нада́вливать to press
надвига́ться to come upon
надева́ть, наде́ть to put on
наде́жда hope
надёжный sure, secure
наде́юсь (наде́яться) I hope
на́до necessary, one should;
надо́лго for a long time
наза́втра on the following day
наза́д back; **тому́** — ago
назва́ние name, title; **назва́ть, называ́ть** to call, name
назна́чить to grant
называ́ется (называ́ться) is called
найдётся will be found
найти́ to find
наказа́ние punishment
наконе́ц finally, at last
нала́дить to establish
нам us, to us
нанесло́ (нанести́) inflicted
напада́ть, напа́сть to attack
напеча́тать to publish
напи́санный written
напиши́те write
наполня́ться to fill
напра́сно in vain
наприме́р for instance; **так**—thus
напу́дриться to powder one's face
нарисова́ть to depict, paint, describe
наро́д people
наро́дный national, people's
наряду́ side by side
нас us
населе́ние population
наскочи́ть to strike
насле́дство inheritance
насмотре́ться to look at
настоя́щий real
настрое́ние; у меня́ — I'm in a state of mind
наступа́ть, наступи́ть to advance, approach, arrive
натя́гивать to pull
нау́ка science, knowledge
научи́ть to teach
нау́чный scientific
нахо́дится there is
находи́ть to find, think
находи́ться to be
национа́льность nationality
начала́сь began
нача́льник director, head
нача́ть, начина́ть to start, to begin
нача́ться, начина́ться to begin
начина́ются begin
наш our
нашёл, нашла́, нашли́ (найти́) found
наше́ствие invasion
неблагода́рный ungrateful

не́бо, небеса́ sky, heaven; **не́бу; по** — in the sky
небольшо́й small
неве́жа ill-mannered person, boor
неве́рен unfaithful
невку́сный tasteless
невозмо́жно impossible
невоспи́танный ill-bred
невыноси́мый frightful
него́ it; **у** — he has
неда́вно not long ago
недалёкий near
неде́ля week; **че́рез —ю** in a week
недо́лго not long
не́жный tender
незадо́лго shortly before
не́зачем; да и — one does not have to
не́которые some, several
нельзя́ one must not
нём; в — in it
не́мец, неме́цкий German; **по-неме́цки** in German
немно́го, немно́жко a little
нему́; к — to him
ненави́жу (ненави́деть) I hate
непого́да bad weather
неподви́жно motionless
непохо́жий unsimilar
непра́вда! that's not true
непра́вильно incorrectly
неприя́тель enemy
нере́дко not infrequently
нереши́тельно hesitatingly
нёс, несла́ carried
несёт carries
несётся (нести́сь) to rush along
не́сколько a few, several
несмотря́ на in spite of
несогла́сен do not agree
несправедли́в unjust, unfair
нестáрый middle-aged
нести́ to carry
несча́стный unfortunate man
несча́стье misfortune
нет; у меня́ — I haven't
неудо́бно inconvenient
нехвата́ть to lack, be short of
нехорошо́ it isn't right, badly
не́что something
ни no; — **одного́** not one; **ни . . . ни** neither . . . nor
ни́ва field
нигде́ nowhere
ника́к by no means
никогда́ never; — **бо́льше** never again
никого́ nobody
никому́ to no one
никто́ no one
ни́м; за — after him; **них; в** — in them; **из** — of them
ничего́ nothing; it doesn't matter; **у тебя́ — нет** you have nothing
ниче́м не отлича́лся was in no way different from
ни́щий beggar
но but; — **и** but also
но́вый new
нога́ leg, foot; **из под но́г** from under their feet
носи́ть to wear
ночева́ть to spend the night
ночно́й night (*adj.*)
ночь night; **по ноча́м** at night; **споко́йной но́чи** good night; **но́чью** at night
нра́виться to please, like; **я ему́ нра́влюсь** he likes me; **она́ мне нра́вится** I like her
ну well; — **во́т!** there you are! — **так что́ же?** what about it?
нужда́ want, need, poverty
ну́жен needed; **он и́м не** — they don't need him

ну́жно needed, necessary; **да мне то** — must I; **не** — very well!; **о́чень мне — бы́ло . . . !** what do I want . . . for; **что им от меня́ —?** what do they want of me?
нужны́ are needed; **мне** — I need
ну́жный necessary
ня́ня nurse

О

о́ба both
обе́д dinner; **за —ом** at dinner
обе́дать to dine
оберну́ться to turn around
обеща́ть to promise
облада́ть to be endowed
облета́ет is falling
обману́ть to fool, deceive
обра́доваться to be overjoyed
о́браз, образо́к image, icon; **гла́вным —ом** mainly; **таки́м —ом** in this way, manner
образова́ние education
обрати́ть to turn; **—ся** to address, say
обра́тно back
обтека́емый streamlined
обуче́ние instruction
о́бщество society
о́бщий common, mutual, general
объедини́ться to unite
объекти́вный objective
объяви́ть, объявля́ть to give notice, announce, inform
объясня́ется (объясня́ться) is explained
объя́тие embrace
обыкнове́нный ordinary
овса́ (овес) oats
огля́дывает себя́ inspects himself
огнём; под — under the fire
ого́нь fire, flame
огоро́д vegetable garden
огро́мный huge, immense
оди́н, одна́, одно́, одни́ one, alone; **оди́н за други́м** one after the other
одино́ко lonely
одино́чество loneliness
одна́жды once, one day
одна́ко but, however
одновре́менно simultaneously
однозву́чный monotonous
одолжи́ть to lend, loan
ожида́ть to wait for
озаря́ть to illuminate
о́зеро lake
ой oh!
океа́н ocean
окно́, око́шко window
о́коло near, about
оконча́ние end, fulfillment
око́нчить to end, to graduate from
окружа́ть to surround
омыва́ть to wash
опа́сность danger
опа́сный dangerous
о́перный operatic
описа́ние description
опи́сывать to describe
опи́шут име́ние they'll distrain my estate
опра́виться to recover
опуска́ть, опусти́ть to drop, lower, hang
о́пыт experience
о́пытный experienced
опя́ть again
орда́ horde
о́рден medal
оригина́льный original
орла́ (орёл). eagle
оса́да siege
осажда́ть to besiege

осёл ass
осень autumn, fall; **—ний** (*adj.*)
оскорбля́ть to insult
осма́тривать to examine
основа́ть to found, build
осо́бенно especially
оста́вить, оставля́ть to leave; — **в поко́е** to leave alone; **оста́вив** having left
остально́е rest, remainder; **всё** — everything else
остана́вливаться, останови́ться to stop
останови́ть to stop, close
оста́тки remains
оста́ться, остава́ться to remain, to stay; **остаётся** remains; **оста́лись** remained; **оста́нусь** I shall stay; **остаю́сь** I'm staying
от from
отвести́ to lead away from
отве́т answer
отве́тить, отвеча́ть to reply
отвы́кнуть to grow unaccustomed
отвяза́ть to untie
отда́ть в уче́ние to apprentice
отда́шь (отда́ть) you will give
отде́лать to finish
отделя́ть to separate
отдохну́ть to rest
о́тдых rest
оте́ль hotel
оте́ц, отца́, отцо́м father
отка́зываться, отказа́ться to refuse
открыва́ть, откры́ть to open
откры́тый open (*adj.*); — **теа́тр** open-air theater
отлича́ться to be remarkable for, to differ
отли́чный fine, excellent
относи́ться to belong, treat
отойди́те (отойти́) get away
оторва́ть to tear off
отпра́вить, отправля́ть to send
отпра́виться, отправля́ться to start, leave, sail, set off
о́тпуск furlough
отража́ют (отража́ть) to portray, reflect
отрази́лись (отрази́ться) на его́ здоро́вьи affected his health
отре́зана (отре́зать) cut off
отруби́ть to chop off
отрыва́ть; не отрыва́ет глаз has her eyes fixed
отры́вок passage
отставно́й retired
отста́лый backward
отста́ть to lag behind
отступи́ть to retreat
отсю́да from here
отта́ивать, отта́ять to thaw
оттого́ что because
отту́да from there
отходи́ть to go away from, to sail
отца́, отцо́м father
отча́иваться to despair
отчего́ why
отчи́зна fatherland
о́тчий paternal
отыска́ть to find
охо́та hunting
о́чень very, very much
о́чередь; в свою́ — in his turn
о́чи (о́ко) eyes
очи́стить to purify
оши́бка mistake

П

па́дать to fall
пала́ч executioner
па́лец finger; **па́льцем, вот э́тим** — with this finger

па́лка stick
пальто́ overcoat
па́мятник monument
па́мять memory
панора́ма panorama, picture
па́па, па́почка papa
парашюти́стка woman parachute jumper
пари́ wager, bet; **держу́** — I wager
парохо́д steamship
па́рочка pair
партиза́н, —ка guerrilla
па́рус sail
патро́н cartridge
па́уза pause
пау́к spider
пацие́нт patient
певе́ц singer, poet
пе́нсия pension
пе́рвая, пе́рвый first
переводи́ть to translate
перевяза́ть to dress, bandage
пе́ред in front of, before
переда́ть to pass, announce, convey
переде́лать to recast
пере́дняя hall
пережи́ть to live through
перелива́ние кро́ви blood transfusion
перепи́ска correspondence
пересека́ть to cross
переста́нет (переста́ть) will cease, stop
перо́ pen
пе́сен (пе́сня) songs
пе́сенка song (dim.)
пе́сня; колыбе́льная — lullaby
пёстрый bright, variegated
пету́х rooster
петь to sing
печа́ль sorrow
печа́льный melancholy, sad
печа́таться to be printed
пешко́м on foot
Пи́ковая да́ма Queen of Spades
писа́тель writer, author
писа́ть to write
пи́сем (письмо́) letters
письмо́ letter
пить to drink; **хочу́** — I'm thirsty
пи́ща food
пла́вание sea voyage
пла́кать to weep
плаку́чий weeping
пла́та wages
плати́ть to pay
плато́к handkerchief
пла́тье dress
пла́чет (пла́кать) cries; **пла́чете, пла́чут** are crying; **плачь** cry
плен; брать в плен to take prisoner
плод fruit
пло́тник carpenter
пло́хо poorly
плохо́й bad
пло́щадь square
плыву́ swim
плыть to float, swim
по; — ва́шему according to you; **—францу́зски** in French; **—ру́сски** in Russian; **— сво́ему** in his way
побе́да victory
поби́ть to beat up
поблагодари́ть to thank
побледне́ть to grow pale
поведёт (повести́) shall lead
повéжливее more politely
пове́рить to believe
поверну́ться to turn around
пове́сить to hang
повлия́ть to influence
пово́зка cart
пога́сла (пога́снуть) was extin-

guished
поги́бнуть to perish
поги́бших perished, lost
пого́да weather; **хоро́шая —** lovely weather
погоди́те just you wait!
пограни́чье frontier, border
погребла́ (погрести́) I have shut myself in forever
погуля́ть to take a walk
под under
подава́ть, пода́ть to serve; **— ру́ку** to hold out one's hand, shake hands
подаёт gives
подбега́ть, подбежа́ть run to
по́двиг great heroic deed
подде́рживать to support
подде́ржка support; **материа́льная —** financial help
подзе́мный underground
по́длый vile
поднима́ться, подня́ться to climb, rise, stand up
"По́днятая целина́" "Upturned Soil"
подня́ть to lift, raise
подо́бного; ничего́ — no one like her
подожда́ть to wait
подойди́те бли́зко come near
подошёл (подойти́) went up to, approached
подража́ние imitation
подру́/га, —жка friend (fem.)
подрыва́ть to undermine
подсмотре́ть to observe
подстрели́ть to wound by a shot
подстрелю́ её I'll bring her down
поду́мать to think; **поду́мает** he'll think.
поду́ть to blow
подходи́ть to come near, approach
пое́дешь (пое́хать) will go
по́езд train
пое́здка trip
поёт (петь) sings
пое́хал (пое́хать) left
пожале́ть to have pity
пожа́р conflagration
пожа́рный fireman
пожима́ть плеча́ми to shrug one's shoulders
пожи́ть to have a good time
позво́лить, to allow; **я не позво́лю** I shan't let you
по́здно, по́здний late
поздравля́ть, поздра́вить to congratulate
по́зже later
познако́мить to meet, acquaint
пойдёмте (пойти́) let's go; **пойду́** I shall go
поищу́ (поиска́ть) I'll find
пока́ until, while, meanwhile
покажи́те (показа́ть) show
показа́лось (показа́ться) seemed, appeared
пока́зывать to show
поката́ться to take a cruise
поко́й peace; **оста́вить в поко́е** to leave in peace
поко́йный the late
поколе́ние generation
покори́ть to subdue, conquer
покрасне́ть to blush
покры́т (покры́ть), покры́тый covered
покупа́ть to buy
пол floor
по́ле field; **по́ полю** through the field
поле́теть to take off, fly away
полигло́т polyglot (one who knows several languages)

полити́ческий political
полк regiment
по́лный full of
полови́на half
положе́ние position
положи́тельно absolutely
положи́ть to put
полково́дец captain
полоса́тый striped
полу́ночь midnight
полуо́стров peninsula
полу́чите you'll have
получи́ть to get, receive; **получи́лся** was received; **получи́л вое́нное образова́ние** received a military education
полюби́ть to learn to love
по́люшко field (dim.)
по́льзоваться to take advantage
поля́ (**по́ле**) fields
поля́ны meadows
поме́щик, поме́щица landowner
поми́луй (**поми́ловать**) have mercy
поми́мо beside
по́мнить to remember
помога́ть, помо́чь to help, aid; **помо́гут** will help
помо́щник helper
по́мощь aid, help; **при по́мощи** by means of
пони́кнувший drooping
понима́ть, поня́ть to understand
понима́ю; вот э́то я — that's the sort I can understand
поня́тный intelligible
пообе́дать to have eaten (dinner)
попада́ться to come, run
попа́сть to get
popла́кал wept
поплыло́ (**плыть**) began to swim, move
попро́бовать to try
попроси́ть to ask
пор; с тех — как since
пора́ it is time
по́рох gunpowder
пору́чик lieutenant
посади́ть to put
посвяти́ть to dedicate
посе́ем (**посе́ять**) we'll sow
посла́ть to send
по́сле after, later; — **э́того** after this
после́дний last
послеза́втра day after tomorrow
послу́шайте listen
послу́шаться to obey
посмотре́ть to look; **посмо́трит** will look
посмотрю́; не — на то́, что I don't care if
посо́бие manual
поспева́ть to be in time, to ripen
поста́вить to place
посте́ль bed
постепе́нно gradually
посто́йте stop
постоя́нный constant, permanent
постро́йка building
постро́ить to construct, build
поступи́ть to enter, act
посту́пок action, deed
постуча́ть to knock
посчита́ть to count
посыла́ть to send
потанцу́й (**танцева́ть**) dance
потекли́ (**течь**) began to run
потёмки darkness
потеря́ть to lose; **потеря́ю** I will lose
потоло́к ceiling
пото́м then, later
потому́ therefore; **—-то** that's why; — **что** because
потону́ть to drown

потуши́ть to extinguish
похо́д expedition, campaign
похо́ж resembles
поцелова́ть to kiss
поцелу́й kiss
по́чва soil
почему́? why?
почти́ practically, almost
почто́вый я́щик mail box
пошёл (пойти́) went; **—!** get out!; **пошли́ бы** you ought to go
по́шлость vulgarity
поэ́зия poetry
поэти́чно poetic
поэ́тому on this account
пою́щих (петь) singing
появи́ться to appear
пра́вда true
пра́вильно correctly
прави́тельство government
пра́вить to drive
пра́во right; **име́ть —** have the right
пра́вый right
пра́здник holiday
предви́деть to foresee
пре́дки ancestors
предлага́ть to offer
предрассу́док prejudice
предста́виться to introduce one self
представля́ть to represent
пре́жде first; **— чем** prior to, before
прекра́сный excellent, beautiful
прерыва́ть interrupt
престо́л throne; **вступи́ть на —** to mount the throne
преступле́ние crime
престу́пник criminal
при at, with; **— жи́зни** when he was living
приба́вить to add
прибега́ть to run up to
прибли́зить to draw nearer
приве́зенный brought
привёл (привести́) brought
приве́т greeting, regards
привле́чь to attract
приводи́ть to bring
привози́ть, привезти́ to bring
привяза́ть to tie, attach
пригото́виться to prepare oneself
придёт (притти́) will come
приезжа́й come; **приезжа́ть, прие́хать** to come
прие́зжий visitor
призна́йся (призна́ться) confess
призыва́ть, призва́ть to call in
приказа́ть to order
прикры́ть to cover
прилете́ть to arrive, come
принадлежа́ть to belong
принёс, принесли́ (принести́) brought; **принесу́** I'll bring
принима́ть, приня́ть to accept, receive, see; **— уча́стие в** to take part in; **при́нят** accepted
приноси́ть to bring
при́нцип principle
приро́да nature
приро́дные бога́тства natural resources
присла́ть to send
приста́вить to place
присуди́ть to sentence
притвори́лась pretended
притти́, приходи́ть to come
причёсан; не — unkempt
причи́на cause
причини́ть to cause
пришёл, пришла́ (притти́) came
пришлёт (присла́ть) will send
прия́тно pleasant
про about

пробира́ться to make one's way, move slowly
про́бовать to try
пробужде́ние awakening
пробы́ть to remain
провёл (провести́) spent
прови́нция province
провожа́ть to accompany
про́волока wire
проводи́ть —у to wire
прогу́лка ride
продава́ть, прода́ть to sell
продолжа́ть to continue; **—ся** to last; **продолжи́тельный** prolonged
прое́дет (прое́хать); — ми́мо will go past
пройдёт (пройти́) will pass; **— де́сять лет** in ten years' time
произведе́ние work
произвели́ (произвести́) made
происходи́ть to happen, occur
происхожде́ние; по происхожде́нию by birth
пройти́ to go through
пролета́ть to fly over
проли́в straits
пролива́ть to spill
проломи́ть to break through; **—ся** break
пролью́ (проли́ть) I'll shed
променя́ть to exchange
пронесётся (пронести́сь) will pass
пропоёшь (пропе́ть) you'll sing
проси́ ask; **проси́ть** to ask for; **про́сят (проси́ть)** ask; **вас — к телефо́ну** you are wanted on the telephone
просижу́ I'll stay
прости́те excuse me
прости́ть to let go
про́сто simply
просто́й simple
просто́рный spacious
простя́сь (прости́ться) saying farewell
про́тив against, opposite
протя́гивать, протяну́ть to stretch out
протяже́ние expanse, extent
прохла́да coolness, freshness
прохо́жий (проходить) passer-by
проце́нты interest
прочёл read
прочита́ть to read
прочь! away! take away!
прошёл, прошло́ (пройти́) passed
про́шлый past
прошу́ (проси́ть) I ask, I must ask you
проща́йте good-bye
проща́ть, прости́ть to forgive; **прощу́** I shall forgive
пры́гать, пры́гнуть to jump
пря́мо straight; **— в ко́мнату идёт** pushes himself right in
пря́тать hide; **пря́чет** hides
психо́лог psychologist
психоло́гия psychology
пти́ца bird
пти́чка little bird
пу́ля bullet
пусто́й empty
пусты́ня desert
пусть let
путеше́ствие voyage
путь road, journey
пыли́ть raise dust
пыль dust; **весь в пыли́** dust all over
пье́са play
пья́ный drunken
пятна́дцать fifteen
пя́тый fifth
пять five
пятьдеся́т fifty

Р

рабо́та work; **—ть** to work
рабо́тающих (рабо́тать) working
рабо́чий worker
ра́бство slavery
равни́на plain
равнопра́вие; — так — ! if you want equality of rights you can have it
рад happy; **так** — so happy
ра́достно; мне — I am happy
ра́дость joy
раз time, times; **ещё** — once more, again; **на э́тот** — this time
разби́ть to defeat
разбо́йник brigand
разбро́саны (разброса́ть) scattered
разве́й (разве́ять) disperse
развёл (развести́) planted
развесёлый merry
развива́ться to develop
разви́тие development
разгова́ривать to talk
разгово́р conversation
разгу́лье revelry
раздави́ть to crush
разделя́ть to divide
раздражённо annoyed, irritated
разнообра́зие variety
разнообра́зный varied, different
ра́зный diverse, different
разру́шить to destroy
ра́на wound
ра́неный wounded
ра́но early, soon
ра́ньше earlier, at first
раскрасне́ться to redden
раскры́ться to open
распростране́ние spreading
распряга́ть to unharness
рассве́т dawn, day-break
рассерди́ться to be angry
расска́з short story
рассказа́ть, расска́зывать to tell, narrate
расска́зчик story teller
расстоя́ние distance
расте́ние plant
расти́ to grow
расти́ть to raise, build
расцвета́ть to bloom, blossom
рвёт (рвать) tears
ребёнок; ещё ребёнком when still a young child
револьве́р pistol
ре́зкий shrill; **— звоно́к** a bell rings noisily
результа́т result
река́ river; **Москва́** — Moscow river
религио́зный religious
рели́гия religion
рельс rail
реша́йте (реша́ть) make up your mind
реше́ние decision
реши́тельно with determination
реши́ть to solve, decide
Рим Rome
рискова́ть to risk
рису́ет (рисова́ть) presents, gives; draws
рису́нок picture
ро́вно exactly
ро́вный even
род kind
ро́дина fatherland
роди́тели parents
роди́ться to be born
родно́й own, of the home
ро́дственник relative

роль; их — the part they played
рома́н novel
ро́скошь luxury
Росси́я Russia
рот mouth
роя́ль piano
руба́шка shirt
рубль ruble (the monetary unit of Russia)
руга́ться to curse
ружьё gun, rifle
рука́ hand
ру́сски; по— in Russian
ру́чка little hand
ры́царь knight
рю́мка (liquor) glass
ря́дом near, alongside

С

сад garden; **—о́вник** gardener
сади́лось (сади́ться) set
сажа́ть to seat
сажу́сь I sit down, take a seat
сала́т; я из тебя́ — сде́лаю I'll chop you to pieces
сам, —а́, —и . . . myself, himself, themselves; **до са́мой моги́лы** to the end of my days
самое́ды Samoyed (a Mongolian people inhabiting Siberia)
самолёт airplane
са́мый the most; **— большо́й, вели́кий** the biggest, (greatest), **до са́мой** to the very; **то́ же са́мое** the very same
сапоги́ boots
сапо́жник cobbler
са́хар sugar
Са́ша dimin. for Алекса́ндр and for Алекса́ндра
сбежа́ть to escape
сбережёт will guard (watch over)
сбли́зить to bring closer
сбо́рник collection
сбро́сить to drop
све́дение information, fact
све́жий fresh
свела́, свести́ see **ум**
сверка́ть to glitter, shine, twinkle
свет world, light; **—лый** light (*adj.*)
свеча́ candle
свива́ть build (nest)
свиде́тель witness; **быть свиде́телем** to witness
сви́стну (сви́стнуть) will whistle
сви́щет (свиста́ть) whistles
свобо́да freedom, liberty
свобо́дный free
свод roof
сво́дка information bulletin
свой, свой his, her, its, one's own; **свои́ми, свои́х, свою́** one's own
свя́зь; в свя́зи с . . . in connection with . . .
свято́й holy, sacred
сгиба́ться to bend
сда́чи change
сде́лать to make, do; **я из тебя́ сала́т сде́лаю** — see **сала́т**
сде́латься to become
себя́ oneself, myself, himself; **над собо́й** over his head
се́вер north
Се́верный Ледови́тый океа́н Arctic ocean
сего́дня today; **на —** for today
сейча́с at once, now
сел (сесть) sat down
семна́дцать seventeen
семь seven
се́мьдесят seventy
семья́ family
серде́чный heartfelt

серди́тесь you are angry
серди́то angrily
серди́ться; как же не —? why shouldn't I get angry? **не —** keep calm, take it easy
се́рдце heart
серьёзный serious
сестра́ sister; **— милосе́рдия** nurse
сесть to sit, take a seat
сжать to press, squeeze
Сиби́рь Siberia
сиде́ть to sit, be seated
сижу́ am sitting
си́зый dove colored
си́ла strength; **изо́ всей си́лы** with all his strength
си́льно greatly, strongly; **са́мый си́льный** the strongest
си́льный heavy, intense
симпати́чный pleasant
си́ний dark blue
сию́ this very
сия́ть to shine
ска́жет (сказа́ть) will tell; **скажи́, —те** tell; **скажу́** I'll tell
ска́зка tale
сквозь through
скворе́ц starling
ско́лько how many (much)
скоре́е faster
ско́ро at once, soon
скрип е́ть, —нуть to creak
скуча́ть to be lonely
ску́чно; ему́ ста́ло — he became bored
ску́чный monotonous, sad
слабе́ть to weaken
сла́бые weak ones
сла́ва glory
сла́дко sweet, sweetly
след trace
сле́довать to follow
сле́дующее the following
слёзы (слеза́) tears
слепо́й blind person; "**— музыка́нт**" "The Blind Musician"
сли́шком too much, too; **— до́рого** too expensive
сло́вно as if, as though
слово word; **дала́ себе́ —** vowed
сложи́ть to compose
слуга́ servant
слу́жба service; **поступи́ть на слу́жбу** enlist
служи́ть to serve, to work
слу́чай case, opportunity; **в тако́м слу́чае** in that case
случи́ться to happen
слу́шать to listen; **и — не хо́чет** he wouldn't even listen
слу́шаться to obey
слы́шать to hear
слы́шно one can hear
слы́шаться to be heard
смеётся (смея́ться) laughs; **— над** laughs at
сме́ло courageously
сменя́ться to be replaced by
смерть death
сметь to dare
смех laughter; **злой —** bitter laughter
смешно́ funny
смо́трит (смотре́ть) looks at
сму́глый swarthy
снача́ла at first, in the beginning, from the beginning
снег snow
снима́ть to cease to wear
сниму́ I'll take off
сно́ва again
сноше́ние relation
соба́ка dog
собира́л collected
собо́й; над — over it, over him

со́браны collected
собы́тие event
соверше́нно completely
соверши́ть to commit, effect, make
сове́т council (of ministers); **—оваться** to confer
сове́тский soviet (*adj.*)
совсе́м quite
согласи́ться to agree
содержа́ние contents, substance, meaning
соединя́ть to join
соединя́ться to be joined
созва́ть to call together
со́зданный created; **созда́ть** to create, build, form
со́кол falcon
сокруши́ть to break, crush
солда́т soldier
со́лнце sun
"**Сон Мака́ра**" "Makar's Dream"
сообща́ться to communicate
сообще́ние communication
сообщи́ть to communicate
со́рок forty
сосе́д neighbor
сосе́дний neighboring
сосла́ть to exile
состоя́ть to consist of
социа́льный social
сошло́ (сойти́) got off
сою́з union
спаса́ть (спасти́) to rescue
спаси́ save
спаси́тель rescuer, savior
спать to sleep; **иди́** — go to bed; **спи** sleep
спина́ back
спи́чка match
сплю (спать) I sleep
споко́йный quiet
спо́рить to argue
спосо́бный capable
спою́ (спеть) I'll sing
спра́шивать, спроси́ть to ask
спря́тать to hide
спуска́ться, спусти́ться to go down, jump
спусти́ть let go
спустя́ later
спят (спать) sleep
сраже́ние battle
сра́зу at once
среди́, средь among, amidst
Средизе́мное мо́ре Mediterranean Sea
срок term
ссо́ра quarrel;
ссо́рились (ссо́риться) quarreled
СССР USSR
ссы́лка exile
ста (сто) one hundred
ста́влю (ста́вить) put, bet
ставь place (imp.)
стака́н glass, tumbler
стал; — сыт was satisfied; **ста́нет, ста́ну** will become; **стать** to become, begin
сталь steel
стально́й of steel
станови́ться на коле́ни to kneel
ста́ну I'll start
ста́нция station
стара́ться to endeavor, try
стари́к old man
стару́ха, стару́шка old woman; **ста́рший** older
ста́рый old
стекля́нный glass (*adj.*)
стена́ wall
стено́ю like a wall
степно́й steppe (*adj.*)
степь steppe (wide treeless plain)
стесня́ть to cramp

стих verse; **—и́** poems, poetry; **в —а́х** in verse
стихотворе́ние poem
сто hundred
стой (стоя́ть) stand; **стои́т** stands
сто́ить to cost; **сто́ит** is worth; **не — э́того** is not worth this
стол table; **за —о́м** at the table
столи́ца capital
столо́вая dining room
сто́лько so many (much)
сто́рож guard
сторона́ side, direction, trait, land; **в сто́рону** aside
сторо́нник supporter
стоя́ть to stand; — **на коле́нях** to be on one's knees
страда́ние suffering
страда́ть to suffer
страна́ country
стра́нно in a strange way
стра́стно passionately
стра́шно, стра́шный terrible; **бы́ло — . . .** were afraid
стрекоза́ dragon fly
стрела́ arrow
стреля́ть to fire, shoot
стреля́ться attempt suicide, fight a duel
стре́мя stirrup
стро́ить to build
стро́иться to be built
струя́ stream
студе́нческий student (*adj.*)
сту́л chair; **—ья** chairs
сты́дно; им ста́ло — they were ashamed; **тебе́ не —?** aren't you ashamed?
суди́ть to try
судьба́ fate
судья́ judge
су́мка bag
су́мма sum; **за каку́ю су́мму** for how much
суро́вый severe, inclement
схвати́ть to seize
сце́на scene; **де́лать сце́ны** to make scenes
сча́стлив, счастли́вый happy
сча́стье happiness, luck, good fortune
счита́ть to count
съезд meeting, convention
съел, —и (съесть) ate
сыгра́ть to play
сын son
сыт satisfied
сюда́ here
сюже́т subject

Т

таба́к tobacco
та́йно secretly
так in this manner, this way, thus, so, like that, then; — **как** inasmuch, since; — **что** so that
та́кже also, similarly
тако́й such; **что тако́е?** what is it?
тала́нт gift, talent
там there; — **же** in the same place
танцова́ть to dance
таре́лка plate
тата́р (тата́ры) Tatar; **—ский** Tatar (adj.)
твёрдый hard, firm
твой, твой your, yours
тебя́ (ты) you
те́ же the same
теку́т (течь) flow
те́ло body
те́м; — **что** by the fact; **ещё и** — because, because of the fact
те́ма subject
темнота́ darkness; **тёмный** dark

тень shade, shadow; ghost
тепе́рь now
тёплый warm
те́сно crowded
тече́ние current
тип character
ти́хий peaceful, pacific, quiet; " — **Дон**" "Silent Don"; **ти́хо, тихо́нько** quietly; —, **споко́йно** quietly
то́ it, that, then; **за —** because; **— же** the same thing; **к тому́ же** besides
то . . . то now . . . now
тобо́ю (ты) you
това́рищ comrade; **— по слу́жбе** colleague
тогда́ then
того́ (то) it; **для — что́бы** in order to; **до —** so much
то́же again, also, too
той (та) that
толпа́ crowd, throng
то́лще thicker
то́лько just, only; **как —** as soon as; **не —** not only
том; о — that
томи́ться to languish, pine
тон tone of voice; spirit
то́нкий thin
то́пать to stamp
топо́р axe
торго́вля trade
тороплúво hurriedly
тоска́ distress, anguish
тот that, the latter; **— кто** he who; **— са́мый** the same
трава́ grass
гра́ур mourning
трево́га alarm
тре́тий, тре́тья third
трёх three
три three; **по —** three each
трина́дцатый thirteenth
тро́нуть to move
труд work, toil
трудне́е harder, more difficult
тру́дность difficulty
тру́дный difficult
тря́пка rag
ту (та) that
туда́ there
тума́н fog, mist
тvнне́ль tunnel
Ту́рция Turkey
ту́т here; **— же** nearby
ту́ча, ту́чка cloud
ты you
ты́сяча thousand
тьма darkness
тюрьма́ prison
тяжело́ with difficulty, heavily; **тяжёлый** hard, heavy; **са́мый —** the hardest
тя́жесть weight
тяну́ться to extend

У

у at, near; **— неё** she has; **— меня́** I have, my
убега́ть, убежа́ть to run away
убежде́ние conviction, opinion
убива́ть, уби́ть to kill; **да́же — жа́лко** I even (hate) have no heart to kill her
уби́йца murderer
убира́йтесь вон! get out!
уби́т killed
убо́рка harvest, gathering in
убью́ I will kill
увезти́, увози́ть to take (carry) away
увида́ть, уви́деть to see
увида́ться to see each other
уви́дишь you'll see

увы́ alas
уго́дно; что вам —? what do you want?
у́гол corner; **из угла́ в —** up and down
угоща́ть to treat
угрю́мый morose
удало́й daring, bold, clever
уда́р blow
уда́рить to hit
удиви́тельный wonderful
удивлённый surprised
удо́бный convenient, comfortable
удово́льствие pleasure
уе́дем (уе́хать) we'll go away
уедине́ние solitude
уе́ду I'll go
уе́хать go, drive away
у́жас horror
ужа́сный horrible, awful
уже́ already
у́жин supper; **за —ом** at supper
у́зкий narrow
узна́ете вы меня́ you'll find out what I'm like
узна́л he knew
узна́ть to find out, learn
уйдёт (уйти́) will leave; **уйдёте; вы не — ?** aren't you going? **уйду́** I'll leave
уйти́ to go away, leave
ука́зывать to point, show
укра́дкой furtively
украи́нцы people of the Ukraine
укра́шенный embellished
улета́ть to fly away
у́лица street; **по у́лице** along the street
улыба́ться, улыбну́ться to smile
улы́бка smile
ум mind, intelligence; **с —а меня́ свела́** has driven me out of my mind
у́мер, —ла́, —ли́ died; **—е́ть** to die; **умрём, умру́** will die
уме́ть to be able, know how
у́мный intelligent, clever; **не у́мно** silly
умча́ться to hurry away
умы́т; не — unwashed
унёс (унести́) carried away; **унесёт** will carry away
уничто́жить to destroy
упа́л (упа́сть) fell
уплати́ть to pay; **чтоб он ва́м уплати́л** to settle your account
употреби́ть to use
управля́ть to rule
управля́ющий steward
уро́к lesson; дать — to teach a lesson
уса́дьба country seat
усла́ть to send away, discharge
услы́шать to hear
усну́ть to fall asleep
успе́ть to have time
успе́х success
уста́лый tired; **уста́ть** to get tired
устра́ивать to build, construct
уступа́ть to yield, be inferior to
утёс cliff
уте́шиться to be consoled
утира́ть to wipe
утоми́тельно wearily
утри́ wipe
у́тро morning; **по утра́м** each morning; **у́тром** in the morning
уха́живать to court, to make love
у́хо ear
ухо́д departure
уходи́ть to go away, leave
уча́стие; принима́ть — to take part
учени́к pupil
уче́ние learning
учёный scholar
учи́лище school

учи́лся (учи́ться) studied
учи́тель teacher
ушёл, ушли́ (уйти́) went (away)

Ф

фа́брика factory
факульте́т school, college
фами́лия surname
фарфо́р porcelain
физи́ческий physical
флот fleet
фля́жка flask
Фра́нция France
францу́з Frenchman; **—ский** French; **по-францу́зски** in French
фунт pound

Х

хара́ктер character
характе́рный typical
ха́та peasant's cottage
хвата́ть to snatch
хво́йный coniferous
хими́ческий chemical
хлеб bread
хло́пок cotton
хлопотли́во busily
ходи́ть to go, walk
хозя́ева hosts, masters
хозя́йка mistress
хозя́ин master, lord, owner, proprietor; **— до́ма** host, master, owner
холм hill
хо́лод, —но, холо́дный cold
хоро́ш, хорошо́, хоро́ший good, well; **—о́ же** very well then
хоте́ть to want, wish, desire; **хоте́л есть** was hungry; **хоти́те** you want; **хотя́т, а ещё —** and then people want; **хо́чет** wants; **— есть** he is hungry; **—ся, мне —** I want to; **хо́чешь** you want
хоть и even though
хра́брый brave, gallant
храм temple
Христо́с с ва́ми! Bless you!
худо́жественный artistic; **Моско́вский — теа́тр** Moscow Art Theater
худо́жник artist
ху́же worse

Ц

цвет color, blossom
цветы́ flowers
целина́ virgin soil
целу́ющий kissing
це́лый entire, whole; **—день** all day; **по це́лым неде́лям** for weeks at a time
цена́ price, value, meaning
цент cent
це́рковь church
цыга́н Gypsy
цыплёнок chick(en)

Ч

чай tea
ча́йка seagull
час hour; **в два —а́** at 2 o'clock; **—о́в** o'clock
ча́сто often; **ча́ще** more often
часть part, portion
чего́ вам? what is it? **для —?** why?
челове́к man, person; **—!** waiter, attendant!
челове́ческий human
челю́скинцы people aboard the ship "Chelyuskin"

чем than, instead of — . . . **тем** the . . . the . . .
чём; о — about what
че́рез in, through; — . . . **дней** . . . days later; — **неде́лю** a week later
черни́ла ink
чёрный black
честь honor
четвёртый fourth
четы́ре four
четы́рнадцать fourteen
чино́вник functionary
число́ number
чи́сто clean, pure
чита́ть to read
член member
чте́ние reading
что which, what, that; — **вы?** well, what is it? — **же?** what then? **ну так что же** what about it? **за — ?** what for? **о том** — that; —**-нибу́дь** something, anything; — **тако́е** what is it? —**-то** something; **всё,** — **у него́ бы́ло** all he had; — **э́то** what is it?
чтоб, что́бы so that, in order to
чу́вство feeling
чу́вствовать to feel
чу́диться to seem
чу́дно; как —! how well
чу́дный wonderful
чужо́й strange, foreign, other's
чу́кши Chukchi
чьи whose

Ш

шаг step
ша́пка cap
шарма́нка hand organ
шарма́нщик organ grinder
швед Swede
шёл (итти́) was going, **went**
шелесте́ть to rustle
шепта́ть to whisper
шестна́дцать sixteen
шесто́й sixth
шесть six
шестьдеся́т sixty
шестьсо́т six hundred
ширина́ width
широ́кий wide, vast
широкопле́чий broad-shouldered
шко́ла school; **сре́дняя** — secondary school
шли (итти́) were walking, went
шля́па hat
шокола́д chocolate
штаб staff
шум noise
шути́ть play about, joke
шучу́ I'm joking

Э

э́ти these; **э́то** this, this is, it is; **за** — for this, for that; **за всё** — for the lot; **об —м** about it

Ю

юг south
ю́го-за́пад southwest
ю́мор humor
ю́ный of youth
юри́ст lawyer
юсти́ция justice

Я

я́блоня apple tree
явля́ется is
явля́ться to be

я́года berry; **по я́годы** berry (verb)
язы́к language
яку́т Yakut
я́мочки на щека́х dimples on one's cheeks
ямщи́к driver
я́сно plainly, distinctly
я́сный bright
я́щик drawer; **почто́вый —** mail box

ОГЛАВЛЕ́НИЕ